Doctor Serge Rafal

Recetas de
Claire Pinson

alimentación antioxidante

• MARABOUT •

Índice

PRÓLOGO

LA PUBLICACIÓN DE *ALIMENTACIÓN ANTIOXIDANTE* EN FEBRERO DE 2000 INFORMÓ Y SENSIBILIZÓ A MUCHOS LECTORES. LA MAYOR PARTE DE ELLOS HA SEGUIDO NUESTRAS RECOMENDACIONES Y CONSEJOS, BASADOS EN NUMEROSOS ESTUDIOS EPIDEMIOLÓGICOS REALIZADOS EN TODO EL MUNDO, Y AL COMPRENDER LA UTILIDAD Y LOS BENEFICIOS DE ESTE TIPO DE ALIMENTACIÓN, INSPIRADO EN EL MODELO CRETENSE O MEDITERRÁNEO, LA HA ADAPTADO A SU VIDA.

Sin embargo, algunos de nosotros hemos tenido dificultades prácticas para aplicarla. Para responder a este justificado reclamo, hemos concebido la presente obra, que constituye no sólo la continuación lógica y útil de la anterior sino, además, su actualización. Por ello, aunque no conozca la obra precedente, este texto le será de utilidad.

Alimentación antioxidante se enfocaba en el aspecto científico de la revolución derivada del surgimiento en la medicina del fenómeno de los "radicales libres/antioxidantes". Esta obra, en cambio, pretende ante todo ser práctica: su principal objetivo es mostrar la manera más sencilla de introducir en sus platos estas saludables e indispensables sustancias, sin que el lector recurra a cuadros de cifras complejas y áridas que suelen digerirse con dificultad.

Para ello, le pedimos a Claire Pinson, autora de *La dieta zen*, *La dieta de la sopa*, *150 recetas para vivir cien años* y *150 recetas antioxidantes*, que compartiera con nosotros sus propias reflexiones e ideara algunas recetas fáciles de preparar.

Estas recetas, que se preparan en poco tiempo, se concibieron para aportar las concentraciones suficientes de antioxidantes indispensables para la salud. Usted podrá, por supuesto, rechazar, ajustar, adaptar, personalizar, etc., este material básico para aprovechar con facilidad las claves de la alimentación antioxidante en forma cotidiana.

Así, estará bien preparado, no sólo en el aspecto teórico sino, en especial, en el práctico, para convertirse en el **"protagonista de su salud"**. Esta expresión y los objetivos que la sustentan son muy valiosos para nosotros, pues le permitirán intervenir activamente y tal vez, incluso, prevenir, controlar o tratar las enfermedades más o menos graves y el envejecimiento que lo acechan y amenazan.

El precepto de Hipócrates: "Que la alimentación sea tu primer medicamento", formulado hace casi 2 500 años, está más vigente que nunca. Usted puede hacerlo aún más eficaz.

Doctor Serge Rafal

introducción

LA "ALIMENTACIÓN PARA LA SALUD"

En LOS ÚLTIMOS AÑOS SE HA DEMOSTRADO QUE LA ALIMENTACIÓN, NUESTRA FUENTE ESENCIAL DE VIDA, CONSTITUYE UNO DE LOS PRINCIPALES FACTORES DE RIESGO PARA LA SALUD.

Las pruebas científicas de que hay un vínculo evidente entre la alimentación y algunas enfermedades (o incluso la mayor parte) son hoy en día suficientes, indiscutibles y del todo impresionantes.

Notables estudios epidemiológicos internacionales han demostrado que la "comida chatarra", compuesta de una alimentación abundante, mal elegida y poco equilibrada, merma de manera radical el "capital de salud", mientras que la dieta "cretense" o "mediterránea", que abordaremos más adelante, resulta extraordinariamente eficaz para prevenir o curar enfermedades.

Esta obra ayudará a responder al reto de "comer de otra manera", es decir, de alimentarnos sanamente para vivir mejor y durante más tiempo sin trastornar nuestros hábitos ni renunciar a los placeres de la mesa, a los que somos tan afectos en la vida moderna.

Por otra parte, es posible conciliar gastronomía, sinónimo de placer y buen comer, con alegría.

LA MODIFICACIÓN DE LOS HÁBITOS ALIMENTICIOS

Para la sociedad occidental, la comida siempre ha desempeñado un papel social y cultural de primera importancia.

- A finales del siglo XIX y principios del XX, se comía esencialmente para vivir. La función de la alimentación se reducía a la mera subsistencia, como lo demuestra el refrán: "ganarse el

pan con el sudor de su frente". Esto significa, además, que el pan constituía la base de la alimentación.

- Después de la Segunda Guerra Mundial, época caracterizada en algunos países por los años negros de las restricciones, el colinabo y las boletas de racionamiento, la gente se precipitaba sobre la carne y los alimentos que "llenaran". Fue un periodo en el que la cantidad era más importante que la calidad.

- En la década de 1950 surge la duda acerca de la posible responsabilidad de la alimentación en el surgimiento inesperado de ciertas enfermedades. Los pacientes, siguiendo los consejos de los dietistas, cuentan calorías, equilibran mejor las comidas, empiezan a consumir un poco de fruta y verdura, pero continúan comiendo mucha carne.

- La década de 1960 es testigo del surgimiento y la difusión del modelo estadounidense, cuyos alimentos fáciles de preparar o ya preparados son en exceso ricos en azúcares y grasas. La "comida rápida" despega y llega volando sin resistencia a todos los países del mundo.

- Durante la década de 1970 se confirmaron los vínculos entre alimentación, colesterol y riesgo cardiovascular. No obstante, la comida tarda en perder grasa o lo hace de manera en verdad muy lenta.

- Los años de la década de 1980 se caracterizan por el triunfo del culto al cuerpo y la aparición de la alimentación energética cuyo objetivo es mantenerse en forma o mejorar el desempeño físico. Surge la moda de los complementos nutricionales, los sustitutos de las comidas, los alimentos *light* (sin grasa, sin azúcar, sin colesterol…) y, con ellos, la hipervitaminación para estar en forma y vivir en actividad el mayor tiempo posible.

- Durante la década de 1990 se consolida el concepto de "alimentación para la salud" a partir del modelo de la dieta cretense, que abre la primera vía eficaz hacia la prevención por medio de la comida (se crea el neologismo "alicamento", formado de la contracción de alimento y medicamento).

- La aparición de la teoría de los radicales libres y la presencia de antioxidantes, protectores naturales que se encuentran en las frutas y verduras, llevaron a proponer el concepto de "alimentación antioxidante", noción esencial que comienza a transformar ciertos hábitos alimenticios de los consumidores.

DOS ACONTECIMIENTOS DESTACADOS

Dos estudios, realizados de manera por completo independiente en puntos diferentes de Europa y con diferencia de varios años, atrajeron poco a poco la atención de los investigadores antes de derribar los prejuicios, la actitud, y los usos y las costumbres de los médicos y del público.

• El primer acontecimiento se produjo hace casi medio siglo, en Gran Bretaña, entre los productores de caucho interesados en el envejecimiento de los neumáticos. Pasó mucho tiempo para que la comunidad científica se sensibilizara y aceptara que este tipo de fenómenos podía explicar, y tal vez prevenir, el envejecimiento humano.

La "teoría de los radicales libres" permitió, por primera vez, llegar hasta el centro mismo de la lesión original o desencadenante de las enfermedades y, gracias al descubrimiento de los antioxidantes y sus aportes, proponía la manera de combatirlos o, por lo menos, de frenar su proceso.

La lista de enfermedades provocadas por los radicales libres crece cada día más. Estas sustancias, activadas por el oxígeno del aire, son agresivas para la mayor parte de los constituyentes celulares a los cuales alteran o desorganizan: destruyen las proteínas, degradan la trama conjuntiva, contribuyen a la aparición de esclerosis o de fibrosis de los tejidos conjuntivos.

Por lo general, los sistemas de protección y mantenimiento del organismo contrarrestan su producción, pero muchas situaciones o circunstancias provocan una presencia excesiva de estos radicales que rápidamente se vuelve patológica.

Muchas investigaciones permitieron comprender mejor tanto la manera en que se forman como los mecanismos de su intervención, así como hicieron posible proponer los antídotos encargados de prevenir o tratar las numerosas enfermedades de las que son responsables.

• El segundo acontecimiento se observó en Creta, una pequeña isla del mar Egeo, cuyos habitantes viven sin duda muy tranquilos y son más longevos que en otras partes del mundo, pues su modo de vida y, sobre todo su alimentación, los protege.

Su dieta, llamada *cretense* o *mediterránea*, se convirtió poco a poco en la referencia absoluta, primero en materia de prevención cardiovascular, después de prevención y salud: esto es fundamental, pues las enfermedades cardiovasculares y el cáncer constituyen los dos principales "asesinos seriales" de las sociedades occidentales.

Estos dos acontecimientos pudieron asociarse cuando se confirmó que grandes cantidades de antioxidantes, nuestras sustancias naturales de defensa, se encuentran concentradas en las frutas y verduras, muy presentes en la dieta cretense.

ALIMENTACIÓN Y SALUD

Los estudios que se refieren al efecto de la alimentación sobre la salud y la esperanza de vida se multiplicaron y ahora estamos seguros de que los alimentos que se absorben cada día no sólo permiten que el organismo funcione, sino también influyen directamente en el estado de salud, con lo que inciden en la condición física, el bienestar, la vitalidad y la longevidad.

La prevención y el tratamiento de muchas enfermedades, incluso graves, justifican los aportes variados y equilibrados de "nutrientes" (azúcares, grasas, proteínas) y suficientemente ricos en "micronutrientes" (minerales, vitaminas, etcétera).

No existe prácticamente ninguna situación médica en la que las recomendaciones alimenticias con base en la dieta cretense o mediterránea, adicionada con antioxidantes y a veces con un complemento adecuado, no contribuyan, al menos en parte, a proteger al organismo, reforzar los sistemas de defensa, facilitar las capacidades de recuperación y evitar las enfermedades o minimizar sus consecuencias.

UN OBJETIVO DE SALUD

Deseamos no sólo convencerlo de los beneficios de una "alimentación para la salud" porque es selectiva, variada, equilibrada y complementada sino, antes que nada, ayudarlo a ponerla en práctica.

Por consiguiente, responderemos precisamente a tres preguntas:
- ¿Qué comer?
- ¿En qué cantidades?
- ¿De qué manera?

Para ello, revisaremos los consejos que suelen prodigarse en materia de nutrición, pero desde la perspectiva de los beneficios de la dieta cretense y de la teoría "de los radicales libres"; el tema es en apariencia complicado, pero trataremos de presentarlo de una manera sencilla.

Pondremos cuidado en facilitar su aplicación con la propuesta de reglas precisas pero flexibles, válidas para cualquier edad y para el conjunto de enfermedades que usted desee prevenir o curar.

UN PLAN

Es esencialmente práctico.

- Le explicaremos de manera muy sencilla la teoría de los radicales libres que ha revolucionado la comprensión del proceso salud-enfermedad, al llegar hasta el centro mismo de la lesión originaria.

- Iremos en busca de nuestros antídotos naturales, las sustancias antioxidantes, estudiando los "micronutrientes", y en particular tres vitaminas (A, C y E) y los dos oligoelementos (selenio y zinc) cuyas actividades preventivas y curativas están demostradas hoy en día. No dejaremos de hablarle de dos minerales esenciales, el azufre y el magnesio, que son cofactores importantes de estas reacciones químicas permanentes y muy importantes.

- Terminaremos con algunos consejos indispensables para conservar la buena salud el mayor tiempo posible.

- En todo momento, intercalaremos recetas fáciles de preparar, de sabores sencillos y destinadas a poner en práctica nuestros consejos de manera inmediata.

OBJETIVOS MUY AMBICIOSOS

No sólo deseamos responder a las preguntas que tenga a propósito de la "alimentación para la salud", sino sobre todo brindarle soluciones muy prácticas, con el fin último de ayudarlo a prevenir o a tratar casi todas las enfermedades, en especial las cardiovasculares y el cáncer, al mismo tiempo que mejora su bienestar y su inmunidad, lo que le permitirá conservar buena salud el mayor tiempo posible.

GUÍA E INSTRUCCIONES

QUEREMOS, ANTE TODO, PONER EN SUS MANOS UNA OBRA MUY PRÁCTICA.

TRES OBJETIVOS

- Antes que nada deseamos sensibilizarlo o informarle acerca de los beneficios de una alimentación variada, equilibrada y rica en antioxidantes para enfrentar la mayor parte de las enfermedades.
- Este libro le permitirá realizar de manera sencilla e inmediata algunos ajustes o efectuar los cambios necesarios.
- Por último, lo ayudará a poner en práctica la "alimentación para la salud", complementada de manera óptima.

TRES PREGUNTAS ESENCIALES

Tendremos la precaución constante de guiarlo en la elección de los alimentos más adecuados a su gusto o edad.

Lo haremos, por supuesto, a través de nuestra experiencia como médico practicante, especialista en medicinas alternativas, que se enfrenta diariamente a tres preguntas muy sencillas en apariencia:

● "En función de todo lo que escucho y de mi estado, ¿cómo debo alimentarme?"

● "¿En cuáles alimentos voy a encontrar las vitaminas y minerales que necesito?"

● "¿Debo complementar mi alimentación? Y, si es así, ¿de qué manera?"

Usted encontrará respuestas claras, precisas y fáciles de poner en práctica por medio de numerosas propuestas de menús o recetas.

Precaución

Esta guía se concibió como un conjunto de recomendaciones que usted puede poner en práctica global o parcialmente. Está destinada, por supuesto, a una **automedicación "razonable"**.

En caso de duda, en particular sobre la oportunidad o la necesidad de complementos así como de sus modalidades, **le pedimos que consulte cuanto antes al médico que lo trata**.

Cuando aparezca el símbolo ++ después de un texto, se trata de alimentos particularmente concentrados (en vitaminas o en oligoelementos).

radicales libres y antioxidantes

EN LOS ORÍGENES DE LA ENFERMEDAD Y EN EL NÚCLEO DE LA SALUD

EL SISTEMA "RADICALES LIBRES/ANTIOXIDANTES", QUE SE HALLA EN BOGA DESDE HACE POCO TIEMPO, ES EN REALIDAD QUINCUAGENARIO, YA QUE SE MENCIONÓ POR PRIMERA VEZ EN 1956, EN ESTADOS UNIDOS.

Esta teoría por fin se impuso, lenta pero inexorablemente; terminó, además, por revolucionar algunos conceptos médicos, gracias a la explicación de una manera original y precisa de la causa de casi todas las enfermedades, incluso las graves (cardiovasculares, cáncer, etc.), además de proponer su tratamiento natural. En la actualidad es del todo imposible abordar los vínculos entre la nutrición y la salud sin mencionar los antioxidantes, que se han convertido en poco tiempo en una realidad científica ineludible.

COMPRENSIÓN DE UN SISTEMA COMPLEJO

Tomemos tres ejemplos de la vida cotidiana para ilustrar y explicar mejor el fenómeno "radicales libres/antioxidantes":
- Probablemente alguna vez ha dejado abierto un frasco de crema para untar. Al día siguiente se forma una costra dura en la superficie y es necesario rasparla para encontrar más abajo la pasta suave, fácil de untar. Cuando la superficie del alimento entra en contacto con el oxígeno del aire, sufre una transformación química y física llamada *reacción de oxidación*, de la que hablaremos más adelante.
- La herrumbre se forma cuando un metal, por ejemplo el hierro, se encuentra en presencia del agua o simplemente de humedad. Los depósitos que se forman debilitan las cañerías, que entonces corren el riesgo de taparse o romperse. Nuestros vasos sanguíneos pueden

compararse con cañerías que se obstruyen cuando se herrumbran mucho: es justo lo que hace el exceso de colesterol en la sangre al depositarse en sus paredes.
- El quitamanchas de la ropa de sus hijos es sin duda eficaz contra las manchas de fruta o de grasa; sin embargo, si lo usa con mucha frecuencia, termina por estropear la tela. Si el organismo recibe muchas grasas, tiene que desecharlas y esto debilita los tejidos —en particular la membrana celular— lo que predispone al organismo a enfermedades.

EL CONJUNTO DE ESTOS TRES FACTORES CONSTITUYE LA ENFERMEDAD

La lesión inicial que desencadena la enfermedad y la posterior aparición de los síntomas son el resultado de la combinación o de la sucesión de estos tres fenómenos: el contacto, el depósito y la destrucción, en respuesta a una o más agresiones repetidas. Una alimentación excesiva e inadecuada que suele tener un alto contenido calórico obtura o debilita los vasos sanguíneos. El contacto frecuente con agentes tóxicos o agresivos endurece los tejidos, los vasos sanguíneos, o ambos, como en el ejemplo de la crema para untar, y puede lesionarlos o desgarrarlos, como hace el quitamanchas. En el interior de los vasos sanguíneos, el exceso de colesterol se deposita en las paredes como la herrumbre en las cañerías, los daña, les quita flexibilidad (arteriosclerosis), los envejece prematuramente y entorpece su funcionamiento. Al aumentar las resistencias, el colesterol obstaculiza la circulación sanguínea y, al final, puede obstruirla por completo.
Los radicales libres son moléculas muy reactivas que se liberan al atacar la débil membrana grasosa de las células, a la que modifican e

incluso destruyen y así causan síntomas y enfermedades.

Si el ataque se da en una articulación, provoca un acceso de dolor e inflamación que los reumáticos conocen bien. Si se produce en el cristalino, aparece la opacidad (cataratas).

El medio natural preventivo existe: son los *antioxidantes*, llamados así porque previenen o neutralizan la "reacción de oxidación" que causa el proceso patológico.

> Muchas enfermedades obedecen al equilibrio deficiente entre los radicales libres producidos en exceso y los antioxidantes que se han aportado o se hallan presentes en cantidades insuficientes. Este sistema, que con la edad se vuelve menos eficiente, explica, al menos en parte, algunos estigmas del envejecimiento: recordemos que la posibilidad de prevenir este fenómeno natural ha sido el elemento determinante del éxito de esta teoría.

EL PAPEL DE LA MEMBRANA CELULAR

La membrana celular es muy importante porque en ella se producen los intercambios, entran los nutrientes, se desalojan los desechos y tienen lugar las reacciones de defensa y de regulación general del organismo.

Esta membrana funciona gracias a los ácidos grasos esenciales poliinsaturados que la constituyen y a los antioxidantes que la protegen. Si su estructura se modifica o se daña, ya no cumple con su papel protector y la enfermedad encuentra una brecha por dónde introducirse.

EL OXÍGENO, ELEMENTO ESENCIAL Y DESENCADENANTE

Este gas incoloro, inodoro e insípido es absolutamente indispensable para la vida, ya que interviene en muchas de las numerosas etapas químicas esenciales para el funcionamiento del organismo. Las azúcares y las grasas aportadas por la alimentación deben reaccionar con él, a fin de producir la energía necesaria para el desarrollo y la multiplicación de las células.

La absorción de los nutrientes genera, sin embargo, radicales libres que en ocasiones son el punto de partida de una reacción en cadena agresiva o destructiva para las membranas celulares. Una vez que sus daños se propagan, nada puede contenerlos; como sucede a lo largo de un reguero de pólvora: el único remedio eficaz consiste en llamar a los bomberos para cortar el reguero; ésta es justo la función que desempeñan, y muy bien, los antioxidantes.

EL EQUILIBRIO DE LA FUERZA

Los radicales libres y los antioxidantes conviven dentro de todas nuestras células en armonía; su equilibrio define, además, la salud: una producción excesiva de radicales libres combinada con una deficiencia de antioxidantes lleva a la enfermedad.

- Aunque la vida es imposible sin los radicales libres, su producción debe estar estrictamente regulada, pues son muy agresivos para las estructuras celulares del organismo.

- La salud también es imposible sin los antioxidantes, pues son indispensables para proteger a las células de los daños ocasionados por los radicales libres.

> Si bien, en términos generales, es posible considerar a los radicales libres como elementos de agresión, no podemos contemplarlos únicamente como enemigos. Y si bien los antioxidantes en general se juzgan como elementos naturales esenciales de defensa, a veces hay que desconfiar de ellos, pues también son capaces de acelerar a los enemigos del organismo (virus, bacterias, células cancerosas, etcétera).

LOS RADICALES LIBRES

EL NACIMIENTO DEL FENÓMENO DE LOS RADICALES LIBRES ES CURIOSO: SURGE EN EL MEDIO AUTOMOVILÍSTICO BRITÁNICO CUANDO LOS INGENIEROS INTENTABAN COMPRENDER Y PREVENIR EL DESGASTE DE LOS NEUMÁTICOS.

La relación entre lo que se observó en esta materia inerte y la degradación ineluctable de las células vivas de nuestro organismo permitió en seguida que varios científicos de diferentes partes del mundo aprendieran y explicaran mejor no sólo el envejecimiento, sino también, y sobre todo, el agravamiento de muchas enfermedades. Al proponer tanto una prevención inédita como un tratamiento muy sencillo, estos trabajos abrieron una puerta en la medicina moderna.

PRODUCCIÓN DE RADICALES LIBRES: ¿FENÓMENO NORMAL O PATOLÓGICO?

Los radicales libres constituyen uno de los elementos de primera línea de defensa del organismo en la lucha contra los virus o las bacterias que nos asaltan de vez en cuando. Su producción está constantemente regulada por su destrucción, a medida que se producen o se utilizan.

Los radicales libres liberados por algunos factores como el tabaco, el alcohol, la contaminación, los rayos X, el sol, etc., resultan excesivos en relación con las posibilidades de eliminarlos del organismo: esta ruptura del equilibrio de los factores naturales de defensa tiene graves consecuencias, pues le abre la puerta a la enfermedad.

Por consiguiente, es esencial, y éste será nuestro primer consejo, vigilar que el organismo no los produzca en demasía, supervisando con atención el aporte en cantidades suficientes de su antídoto natural: los antioxidantes.

EL ORIGEN DE LOS RADICALES LIBRES

Provienen de dos fuentes, una interna y otra externa.

Los radicales de origen interno

El organismo fabrica todo el tiempo radicales libres durante las reacciones químicas que rigen su funcionamiento normal.

Se producen en grandes cantidades para defendernos contra una infección, permitirnos luchar mejor contra un tabaquismo excesivo o exposiciones muy frecuentes al sol o la contaminación.

Los radicales de origen externo

- La respiración: absorbe oxígeno, despide dióxido de carbono y radicales libres.
- La contaminación automovilística o atmosférica: los habitantes de las ciudades tienen en la sangre o en los pulmones niveles de radicales libres más altos que los que habitan en el campo.
- El agujero en la capa de ozono y la contaminación industrial o automovilística provocan una gran concentración de tóxicos en la atmósfera.
- El sol: hay que cuidarse particularmente de los rayos solares (exposición en la playa, en la piscina, en la nieve, etc.) pues duplican la cantidad de radiación que recibe la piel.
- Los rayos X (radiografías), gamma o ultravioleta generan también radicales libres.
- Las sustancias químicas (herbicidas, insecticidas, pesticidas, etc.) de la alimentación (conservadores, etc.) o del medio ambiente (desodorantes, laca, pintura, etc.) con frecuencia son causa de radicales libres.
- El tabaco: una bocanada de cigarrillo libera millares de moléculas de radicales libres.
- El agua del grifo: las tuberías viejas o defectuosas contienen muy a menudo metales pesados (cobre, hierro, plomo, etc.), que son grandes generadores de radicales libres.
- El estrés, los traumatismos físicos, los problemas

infecciosos, entre otros factores, producen muchos radicales libres.

- El hierro, si se prescribe en exceso, como suele suceder en el caso de las mujeres, libera muchos radicales libres.

- Las enfermedades inflamatorias liberan radicales libres que se agregan a los que producen los medicamentos destinados a tratarlas.

- La edad: las células, al funcionar cada vez con menor eficacia, los producen en gran cantidad.

EL PAPEL FISIOLÓGICO DE LOS RADICALES LIBRES

- Desempeñan un papel esencial en las reacciones de defensa del organismo.

- Garantizan la "conservación" y las "vías" para eliminar las células viejas o defectuosas que nuestro organismo siempre está reemplazando.

- Desempeñan una función, por supuesto, en muchas enfermedades, manteniéndolas o agravándolas al atacar la membrana que protege nuestras células.

En resumen

Algunos radicales libres, rápidamente atrapados por nuestros antioxidantes, se emiten en las etapas fisiológicas de la producción de energía.

Cuando aumenta el nivel de radicales libres o cuando desciende el de los antioxidantes, las consecuencias son inmediatas y más o menos graves para la salud.

En efecto, los radicales libres en exceso dañan rápidamente las membranas celulares y, de esta manera, constituyen el punto de partida de numerosas enfermedades (cardiovasculares, cáncer, las llamadas *crónicas degenerativas*) o del envejecimiento.

LOS ANTIOXIDANTES

CUALQUIER SUSTANCIA CAPAZ DE FRENAR O IMPEDIR EL FENÓMENO DE LA OXIDACIÓN Y, POR LO MISMO, CAPAZ DE PREVENIR, REDUCIR O REPARAR LOS ESTRAGOS PROVOCADOS POR LOS RADICALES LIBRES, RESPONDE A LA DEFINICIÓN DE ANTIOXIDANTE, ELEMENTO TOTALMENTE INDISPENSABLE PARA LA SALUD.

ORGANIZACIÓN DE ESTE SISTEMA DE DEFENSA

Los radicales libres se producen en cantidades más o menos grandes según las circunstancias que acabamos de estudiar. Para neutralizarlos u oponerse a que se produzca en exceso, el organismo dispone de varias líneas de defensa, con una estructura semejante a la militar.

Los antioxidantes, elementos esenciales para protegernos, son de origen interno, es decir, ya están presentes en nuestro cuerpo, o de origen externo, aportados por la alimentación.

Los antioxidantes de origen interno

Los produce el organismo para moderar la liberación fisiológica de los radicales libres.

Los antioxidantes de origen externo

- La primera línea está constituida por el trío de choque de nuestra salud: las vitaminas E, A y C. La primera es, de lejos, la más importante y debe estar siempre presente en cantidades suficientes.
- La segunda línea, compuesta principalmente de selenio y, en menor grado, de zinc, interviene sobre todo en apoyo de la anterior.

CÓMO ACTÚAN LOS ANTIOXIDANTES

Nos protegen de muchas maneras:
- En primer lugar, impiden la formación de radicales libres y evitan la oxidación, como lo hace, por ejemplo, el cobre.
- Impiden la activación de otras moléculas para evitar la reacción en cadena.
- Frenan o detienen los daños causados por los radicales libres, restauran los estragos producidos en algunas células o moléculas y eliminan los desechos que se forman.

La gran importancia de los antioxidantes obedece a su triple función: preventiva, curativa y reparadora.

OTROS ENEMIGOS DE LOS RADICALES LIBRES

Al lado de la melatonina, prohibida actualmente en algunos países pero comercializada en Estados Unidos, de la DHEA (dehidroepiandosterona), de los aminoácidos azufrados, etc., se destacan indiscutiblemente dos grupos de sustancias con propiedades antioxidantes: los carotenoides y los flavonoides.

La sobreproducción de radicales libres puede superar a estos sistemas de contención naturales. En ese caso, la neutralización del excedente se lleva a cabo gracias a otros enemigos de los radicales libres que veremos un poco más adelante.

RADICALES LIBRES Y ANTIOXIDANTES

LOS CAROTENOIDES

ESTAS CASI 500 SUSTANCIAS Y PIGMEN-TOS ESTÁN PRESENTES EN LAS FRUTAS Y VERDURAS; SE ENCARGAN DE PROPORCIO-NARLES SU COLOR (AMARILLO, ANARANJADO O ROJO), SU SABOR, SU OLOR Y SUS EFECTOS BENÉFICOS SOBRE LA SALUD.

TRES GRUPOS PRINCIPALES

• El **licopeno** posee, sin duda, una actividad antioxidante superior al betacaroteno, pero está mucho menos extendido: se encuentra principalmente en el tomate y, en menor concentración, en la papaya, la toronja rosada (pomelo), la sandía, etcétera.

• La **luteína** está presente principalmente en el maíz y, en menor concentración, en el brócoli, la col y las hortalizas de hoja verde.

• La **zeaxantina** se encuentra en las hortalizas de hoja verde.

> Algunas verduras ricas en caroteno son verdes porque contienen clorofila, que recubre el color del pigmento.

Cómo planear los aportes de carotenoides

Muchas frutas y verduras son ricas en carotenoides.
Utilícelos y abuse de ellos en todas sus formas:
- Zanahorias ralladas con ajo, con aceite de oliva y rociadas con un chorrito de jugo de limón.
- Ensalada de tomates con echalote.
- Pasta a la provenzal, con tomates triturados rehogados en la sartén, con aceite de oliva y adornados con dados de pimiento *al dente*.
- Agregue tomate a sus platos: sopas, gratines, tartas saladas, etcétera.
- El concentrado de tomate y la salsa catsup son ricos en licopeno: agréguelos a sus salsas y platos.
- Saboree un jugo de toronja rosada en el desayuno o en la merienda, o disfrute media toronja como entrada.
- Reemplace el aperitivo por un jugo de zanahoria o de tomate.
- En verano, elija papaya y sandía como refrescantes.
- Elabore ensaladas compuestas a base de maíz, tomates y ejotes (chauchas), con toronjas rosadas, por ejemplo.
- Reconcíliese con las verduras: nada mejor que un buen gratinado de brócoli, una sopa de col (repollo) o una buena sartenada de ejotes salteados al ajo…

LOS BIOFLAVONOIDES

EXISTEN ALREDEDOR DE 4 000 VARIEDADES DE FLAVONOIDES PRESENTES PRINCIPAL-MENTE EN LAS FRUTAS, LAS VERDURAS, LOS VEGETALES, LOS CEREALES, EL TÉ NEGRO (Y EL VERDE), EL VINO TINTO… GRACIAS A ELLOS ESTOS ALIMENTOS PROTEGEN LA SALUD. ESTAS SUSTANCIAS, QUE FACILITAN LA CIRCULACIÓN E IMPIDEN EL DEPÓSITO DE GRASAS EN LOS VASOS SANGUÍNEOS, REDU-CEN LA MORTALIDAD CARDIOVASCULAR.

TRES GRUPOS PRINCIPALES

- **Flavonoides amarillos:** se encuentran principalmente en los órganos amarillos y en las hojas de las plantas; abundan en las verduras (brócoli, col, espinacas, ejotes, hojas verdes de ensalada…) y en las frutas, pero concentradas en su piel. Los cítricos y la soya contienen una gran diversidad de ellos.

- **Flavonoides rojos:** llamados *antocianos*, se encuentran en las hojas, las flores y las frutas, y les confieren, según el pigmento, un color azul, rojo o violeta. Se hallan presentes sobre todo en las frutas rojas o azules (arándano, grosella negra, mirtilo, mora, uvas), así como en el abedul, el ginkgo, el betabel (remolacha)…

- **Taninos:** se encuentran en la fresa, la frambuesa, la nuez, la mora, en muchas verduras (crucíferas)… así como, y sobre todo, en el vino tinto y el té negro.

El **picnogenol** es un producto patentado y fabricado en Francia a partir de la corteza de un pino de Québec y de la región de Burdeos. Esta corteza contiene alrededor de cuarenta sustancias bioactivas, la mayor parte de las cuales posee una acción antioxidante.

La **quercitina** actúa impidiendo la adhesión de las plaquetas a la pared de los vasos sanguíneos, lo que disminuye los riesgos de obstrucción.

Cómo planear los aportes de flavonoides

- Reemplace el café de la mañana por un tazón grande de té verde. Haga lo mismo después de la comida.
- Concédase un vasito de buen vino tinto en cada comida.
- Cocine con vino tinto, incluso si los platos están destinados a los niños: el alcohol se evapora durante la cocción.
- Coma todos los días platos de verduras adornadas con hierbas aromáticas (albahaca, cebollines, orégano, perejil…) para variar el sabor.
- Una entrada rica en flavonoides: betabeles rociados con jugo de limón.
- Sirva ensalada en cada comida.
- Compre las frutas que se pelan no tratadas, a fin de comerlas con la cáscara.
- Reemplace de vez en cuando el plato de arroz por un plato de frijoles de soya.
- Improvise ensaladas de frutas rojas (frambuesas, fresas, grosellas negras, moras, etc.) o elabore sorbetes.
- Parta algunas nueces para el desayuno o como colación de la mañana o de la tarde.
- Disfrute un jugo de cítricos: limón, naranja, toronja…

ENFERMEDADES ASOCIADAS A LOS RADICALES LIBRES

ANTES DE PROPONERLE LAS SOLUCIONES TERAPÉUTICAS EFICACES CON BASE EN LOS ANTIOXIDANTES, ESTUDIAREMOS BREVEMENTE LAS PRINCIPALES ENFERMEDADES CAUSADAS, ALIMENTADAS O AGRAVADAS POR LOS RADICALES LIBRES.

Un antídoto: los antioxidantes

El tratamiento de la mayor parte de las enfermedades consiste en:
- disminuir la producción de radicales libres, actuando sobre el modo de vida (medidas higiénico-dietéticas…);
- reforzar el sistema antioxidante de defensa mediante una alimentación cuidadosamente seleccionada (en principio suficiente si no se forman muchos radicales libres) o una complementación.

CÁNCER

En casi todos los países representa un problema importante de salud pública, tanto por su frecuencia y gravedad como por lo pesado de sus tratamientos y costo.

Desde hace muchos años se espera un tratamiento radical para esta enfermedad, pero no prospera: más de 10 millones de casos nuevos aparecen cada año en todo el mundo y varios cientos de miles de personas, la mitad de las cuales son menores de 75 años, mueren a consecuencia de una "larga enfermedad".

Los medios de diagnóstico han progresado considerablemente, pero por desgracia los resultados todavía no están a la altura de las esperanzas. El cáncer es en la actualidad la primera causa de mortalidad en el hombre y la segunda en la mujer, después de las enfermedades cardiovasculares.

Definición y factores de riesgo del cáncer

Las razones diversas de este desarrollo incoherente de las células, que escapa de cualquier control, todavía no se conocen, pero los "factores de riesgo" están hoy en día bien identificados: la herencia, el tabaquismo, el medio ambiente, las hormonas, los virus… y la alimentación, por supuesto, sobre la que volveremos muy pronto. Es difícil separar la parte respectiva de cada uno de estos factores, pero todos intervienen, uno por uno o asociados, para desencadenar, alimentar o agravar la enfermedad. Los científicos estiman que tres cuartas partes de los casos de cáncer se asocian al medio ambiente y que un cuarto de ellos se relaciona con la alimentación, lo que significa para los médicos nuevas prioridades en materia de prevención y educación de los pacientes.

Los antioxidantes y el cáncer

Existen tres fuertes presunciones, y a veces pruebas, a propósito de los posibles vínculos entre el consumo de frutas y verduras y ciertos tipos de cáncer: la protección es casi segura contra los cánceres de boca, esófago, pulmón, estómago y colon; es altamente probable contra los cánceres de laringe, páncreas, seno y vejiga; es posible contra los cánceres de útero, ovario, endometrio, tiroides, hígado, próstata y riñón.

Está demostrado que las tasas bajas de vitaminas A y E predisponen a ciertos tipos de cáncer, mientras que las tasas bajas de vitamina C predisponen a todos los tipos de cáncer. La vitamina C interviene a la vez en los factores de iniciación y progresión de la enfermedad, por lo que actúa tanto de manera preventiva como curativa.

Es de extrema importancia reducir las fuentes de radicales libres, por ejemplo, comiendo menos y mejor, con el cuidado de aportar buenas cantidades de antioxidantes a través de la alimentación o la complementación. Su efecto está bien establecido dentro de la prevención del cáncer; su utilidad para disminuir las recidivas o el tratamiento propiamente dicho está por confirmarse.

La prevención nutricional del cáncer debe observar los aportes de:
- vitaminas C y E,
- selenio,
- licopeno,
- zinc,
- flavonoides,
- fibras,
- vitamina B9.

DÍA TIPO PARA LA PREVENCIÓN (O TRATAMIENTO) DEL CÁNCER

Desayuno

Un tazón de té verde, una o dos frutas frescas, algunas frutas secas, un producto lácteo, un tazón de cereales o una rebanada de pan integral.

Comida

Un plato de verduras crudas al gusto, sazonadas con una vinagreta, una ración de pescado o de carne con un poco de salsa de tomate hecha en casa, 200 g de verduras sazonadas con ajo o una ración de leguminosas (a escoger), un lácteo descremado o un queso magro, una fruta fresca y un vasito de buen vino tinto.

Base de la vinagreta: 1 cucharada de aceite de oliva o de colza, 1 cucharada de jugo de limón, sal, pimienta, perejil, levadura de cerveza y germen de trigo.

Cena

Una sopa o un plato de verduras crudas, una ración de pescado o de mariscos o dos huevos (no más de cinco huevos por semana), 200 g de verduras a escoger o un tazón pequeño de leguminosas, una ración de queso de cabra o de oveja, una o dos rebanadas de pan integral, una fruta fresca, un vasito de buen vino tinto.

Las fuentes alimenticias
• **El licopeno** lo encuentra sobre todo en el tomate ++ y, en menores cantidades, en la papaya, la toronja rosada, la sandía…

• **Los flavonoides** los encuentra en los cítricos (limón, naranja, toronja), en los arándanos, las cerezas, las uvas, el té negro y el vino tinto.

• **La vitamina B9** se encuentra principalmente en las hortalizas de hoja verde (espinacas, hinojo, hojas para ensalada…), así como en el plátano (banana), los cereales integrales y el tomate.

• **La vitamina C** se halla en los cítricos (limón, naranja, toronja…), las verduras (acedera, apio, berros, col verde ++, perejil, rábano picante…), las frutas (grosella negra ++, kiwi ++…) y sobre todo en las rojas (frambuesa, fresa, grosella…), la papa, el pimiento y el tomate.

• **La vitamina E** la puede encontrar en los aceites de germen de trigo ++, girasol, oliva, maíz, colza…, en la mantequilla (manteca), la margarina, las oleaginosas (almendra, avellana, nuez, pistache…), en los pescados grasos, las hortalizas de hoja verde (col, perejil…).

• **El selenio** se halla sobre todo en las menudencias de las aves ++, el aceite, los cereales integrales, la col, el germen de trigo, la levadura de cerveza, el huevo y la carne.

• **El zinc** se encuentra en muchos alimentos, pero sobre todo en los cereales, los mariscos, los ostiones y los mariscos de caparazón, en algunas hortalizas (brócoli, champiñón, espinacas, frijoles), en la yema de huevo, la levadura de cerveza, la nuez, el pan integral, el pescado y la carne magra.

ENFERMEDADES CARDIOVASCULARES

Geográficamente, podemos distinguir tres grupos:
- Países donde la mortalidad cardiovascular aumenta en particular a causa de una pésima alimentación tanto en calidad como en cantidad (Rusia, China…);
- Países donde ésta es estable (Europa);
- Países donde disminuye (EUA) gracias a medidas de prevención en las que, por supuesto, interviene la alimentación.

Miles de personas van al hospital cada año por síntomas de insuficiencia coronaria aguda. El número anual de infartos al miocardio se sitúa en alrededor de 600 000 en la Unión Europea y de 1.1 millones en Estados Unidos, de los cuales casi la mitad ocurre entre personas menores de 65 años.

Pruebas irrefutables permiten afirmar hoy en día que una "alimentación para la salud" y equilibrada prevé e incluso disminuye el riesgo cardiovascular alrededor de 50%: los radicales libres exponen por supuesto su gravedad, pero los antioxidantes permiten un tratamiento efectivo muy eficaz.

Los antioxidantes y las enfermedades cardiovasculares

La **vitamina E** natural es el más importante de los protectores antioxidantes del corazón: su índice bajo constituye, además, un factor de predicción de riesgo cardiovascular.

La **vitamina C** desempeña un papel de acompañamiento, al igual que los **carotenoides** que, sin embargo, poco a poco demuestran su importancia preventiva.

Otros síntomas menos graves

Al lado de los accidentes cardiovasculares importantes, existen otros síntomas circulatorios por fortuna menos graves pero aun así muy molestos, como vértigos, disminución de la audición y silbidos en el oído, que también pueden atribuirse a los radicales libres y, en consecuencia, mejorarse con la ingestión de antioxidantes.

Consejos alimenticios para los cardiacos

En la actualidad estamos seguros de que es posible vivir mucho más tiempo con tan sólo actuar respecto a nuestro modo de vida y, en particular, respecto a nuestra alimentación. Los equipos de investigadores, los nutriólogos del mundo entero han adquirido esta certeza al estudiar con atención el contenido de la dieta de una pequeña isla del Mediterráneo,

situada al sur del mar Egeo, donde se vive bien y, sobre todo, "mucho".

La alimentación de sus habitantes se ha convertido en la referencia de salud desde que numerosos estudios científicos confirmaron que muestran las tasas de mortalidad por enfermedades cardiovasculares y cáncer más bajas del mundo.

La dieta cretense y mediterránea

Se basa en hábitos alimenticios tradicionales sanos y equilibrados. Es bien aceptada por el público, pues resulta agradable y compatible con una vida familiar y profesional, sin excesos pero sin restricciones; además, es poco onerosa. Constituye, por otra parte, más una manera de alimentarse y de vivir que una verdadera dieta, término que aquí resulta en particular poco adecuado.

Se compone de cereales, frutas y verduras, aceite de oliva y pastas. Éstas constituyen el pivote central de la dieta, el plato principal de muchas comidas: aportan los azúcares lentos, muy a menudo van acompañadas de ajo, cebolla, hierbas aromáticas, especias y tomates, todos ellos "alimentos para la salud". También están presentes en todas las comidas las hortalizas secas o verdes y las frutas. Se consumen con mucha regularidad algunas nueces y almendras.

El aporte de grasas se lleva a cabo de manera casi exclusiva por medio del aceite de oliva: ni mantequilla, ni crema, ni leche. Por el contrario, el queso (feta) está autorizado. Las proteínas provienen de aves, pescado o, a veces, huevos. Las carnes rojas (res, cordero, cerdo, etc.) quedan como excepción. No hay dulces. El vino tinto se consume de manera regular pero moderada.

Muchos otros países del Mediterráneo tienen una manera de alimentarse parecida; aun cuando se dice a veces dieta cretense y a veces dieta mediterránea, existen diferencias entre ambas (en particular, ausencia de leche y de productos lácteos en la primera).

La dieta cretense es, por lo tanto, muy pobre en grasas saturadas, las más dañinas. Aporta azúcares en forma de frutas, contiene mucha vitamina A y betacaroteno, vitamina C, selenio y fibras, lo que al parecer le proporciona una parte de su eficacia. Contiene, asimismo, por intermedio de la nuez y la verdolaga, mucho ácido linolénico, cuya acción protectora cardiovascular es esencial.

Por el momento, es imposible precisar cuál es el alimento decisivo: el queso feta, el aceite de oliva, las frutas, las verduras, la nuez, las verdolagas, el vino… Un estudio realizado en Boston, recientemente publicado, se inclina más bien por el papel protector del pescado, las frutas y verduras más que por el del aceite de oliva.

Independientemente de cuál de éstos sea, usted puede adoptar esta dieta en su conjunto o, en todo caso, inspirarse con amplitud en ella, ya que, sin discusión, resulta provechosa para la salud.

DÍA TIPO DE DIETA CRETENSE ADAPTADA

Desayuno
Una buena rebanada de pan integral con un pedazo de queso feta o de cualquier otro queso de oveja, una fruta fresca, algunas almendras y algunas nueces.

Comida
Ensalada verde, con aceite de oliva, ajo, jugo de limón, hierbas aromáticas (albahaca, orégano, perejil, etc.), o una ensalada de ejotes o de pimientos rellenos con tomates, un pescado cocinado con aceite de oliva, verduras a elegir (berenjena, calabacita o zapallito, frijoles, pimiento, tomate, etc.), una o dos rebanadas de pan integral, un trozo de queso feta o de cualquier otro queso de oveja, una fruta fresca y un vasito de vino tinto.

Cena
Ensalada de tomates con queso feta, aceitunas negras, cebolla…, ensalada verde o pepino con yogur, un plato grande de pasta *al dente* rociada con un chorrito de aceite de oliva y adornada con una salsa de tomate y cebollas, con ajo, cebollín y perejil, una fruta fresca y un vasito de vino tinto.

Adopte desde hoy la dieta cretense en su conjunto o inspírese ampliamente en ella, ya que procura beneficios concretos y rápidos para la salud.

La prevención de las enfermedades cardiovasculares debe vigilar el aporte de:
- ácidos grasos omega 3,
- ácidos grasos monoinsaturados,
- vitaminas C y E,
- flavonoides,
- selenio,
- vitaminas B6, B9 y B12.

DÍA TIPO DE PREVENCIÓN CARDIOVASCULAR

Desayuno
Una buena rebanada de pan integral con una pasta de untar de aceite de oliva o de colza, un vaso de leche descremada o de soya, una fruta fresca (albaricoque, plátano, etc.), algunas almendras, nueces, o ambas.

Comida
Una ensalada (berros, lechuga, milamores, etc.) con aceite de oliva o de colza, ajo, germen de trigo, levadura de cerveza y hierbas aromáticas, pescado graso o mariscos, un tazón de cereal integral, fritada de verduras, un trozo de queso de oveja o de cabra, un tazón pequeño de frutas frescas (albaricoques, fresas, frambuesas, grosellas negras, moras, etc.) y un vasito de vino tinto.

Cena
Zanahorias ralladas con ajo y aceite de oliva, una rebanada de hígado de ternera estofado con champiñones, un plato de verduras (col, endibia, espinaca, etc.), un lácteo magro o una ración pequeña de queso de oveja, una fruta fresca y un vasito de vino tinto.

Las enfermedades graves y la alimentación

Todos los estudios muestran que la dieta llamada *mediterránea* no sólo previene las enfermedades cardiovasculares (morbi-mortalidad disminuida de casi 70%), sino también el cáncer (de colon, páncreas, mama, próstata, etcétera).

Dos terceras partes de los fallecimientos en los países occidentales se producen o se agravan por una mala dieta: demasiadas grasas, carne, azúcar, sal, alimentos refinados, cerveza... y muy pocos alimentos tradicionales: féculas, frutas, verduras, pan.

Las fuentes alimenticias

• **El betacaroteno** se encuentra sobre todo en los vegetales: albaricoque, camote (boniato), brócoli, calabaza (zapallo), col, espinacas, hojas verdes de ensaladas, mango, melón, arándano, mora, papaya (lechosa), pimiento rojo, toronja rosada, sandía, tomate, zanahoria...

• **La vitamina B6** la encuentra principalmente en el plátano, las leguminosas (chícharos o arvejas, frijoles, lentejas, soya), la papa y la carne.

• **La vitamina B9** se encuentra sobre todo en las hortalizas de hoja verde (espinacas, hinojo, hojas verdes para ensalada...).

• **La vitamina B12** se halla únicamente en productos de origen animal: carne, huevos, lácteos, menudencias de las aves, pescado...

• **La vitamina C** se encuentra sobre todo en los cítricos (limón, naranja, toronja...), las verduras (acedera, apio, berro, col verde, perejil, rábano picante...), las frutas (grosella negra ++, kiwi ++...) y sobre todo en las frutas rojas (frambuesa, fresa, grosella negra...), en la papa, el pimiento y el tomate.

• **La vitamina E** está en los aceites de germen de trigo ++, girasol, oliva, maíz, colza..., en la mantequilla, la margarina, las oleaginosas (almendra, avellana, nuez, pistache...), en los pescados grasos, las hortalizas de hoja verde (col, perejil...).

• Los aceites de los pescados grasos (anguila, arenque, atún, caballa, sardina, trucha) y algunos aceites vegetales (colza, linaza, nuez, soya...) forman parte de los **ácidos grasos omega 3**.

• Si bien el aceite de oliva ++ es la fuente principal de **ácidos grasos monoinsaturados**, también se encuentran en el aceite de colza, el aguacate (palta), las almendras, la avellana, las aves, el encurtido de carne de pato y de ganso, el *foie gras*, la nuez de Macadamia e incluso en el cerdo.

DIABETES

Esta enfermedad se define por una glucemia en ayunas (después de ocho horas de ayuno) superior a 1.15 g por litro, medida por lo menos en dos tomas sucesivas. El azúcar en exceso ataca a todos los vasos sanguíneos del organismo y, muy particularmente, al corazón, el cerebro, los riñones, los ojos, las extremidades y el sistema nervioso (neuropatías).

La evolución de esta enfermedad es dañina y silenciosa durante mucho tiempo: sus complicaciones, pese a ser temibles, se desarrollan a menudo con pocas manifestaciones. Su detección temprana constituye uno de los elementos esenciales de la vigilancia del diabético. El paciente subestima la gravedad de su enfermedad y descuida un tratamiento **indispensable**, cuyas ventajas no percibe de inmediato por completo.

Signos reveladores de diabetes

Existen dos tipos de diabetes:

- El tipo I o diabetes insulinodependiente, a veces llamada *juvenil*, porque se produce en general en los adolescentes y en los jóvenes.

- El tipo II o diabetes no insulinodependiente, la más frecuente, aparece en personas de mayor edad y a menudo con sobrepeso.

Los síntomas reveladores son los mismos en ambos casos: sed intensa, deseos frecuentes de orinar, fatiga, mareos, problemas infecciosos largos o repetitivos...

Los antioxidantes y la diabetes

Los antioxidantes, en particular las **vitaminas C** y **E**, previenen, minimizan, retardan o impiden las complicaciones de la diabetes.

El zinc cumple una función importante en la producción de insulina: cuando los investigadores trabajan con ratas de laboratorio y desean desencadenar una diabetes, comienzan por provocarles una carencia de zinc. El diabético, en efecto, elimina cantidades importantes de zinc que es necesario compensar, so pena de una pronta aparición de las complicaciones. Los **flavonoides**, de los cuales tenemos muchos, también desempeñan aquí un papel importante.

Asimismo, sabemos desde hace mucho tiempo que el ajo, la cebolla y la manzana son tres alimentos que los diabéticos pueden, incluso deben, comer todos los días.

DÍA TIPO DE PREVENCIÓN (O DE TRATAMIENTO) DEL DIABÉTICO

Desayuno

Una bebida a elegir (té, café…), un tazón grande de cereal con leche de vaca descremada o de soya, o una buena rebanada de pan integral, una ración pequeña de jamón magro, una fruta fresca.

Comida

Verduras crudas con aceite de oliva y ajo, una ración de pavo, res, ternera… con cebollas y champiñones, berenjenas, germinado de soya, pimientos…, un tazón pequeño de leguminosas (frijoles, lentejas, arroz…), una porción de queso, un pedazo pequeño de pan y una manzana.

Merienda

Una manzana.

Cena

Una ración de tarta (pay) salada (tarta de salmón, tarta de calabacitas, etc.) o una ración de pescado a escoger, una ensalada verde con aceite de oliva y ajo, un lácteo magro, una fruta a escoger (excepto uvas).

La prevención nutricional del diabético tipo II debe incluir:
- una reducción de calorías,
- una alimentación variada y equilibrada,
- el suministro de los siguientes complementos:
- vitaminas C y E,
- zinc,
- cromo,
- flavonoides,
- vitaminas B3 y B6,
- ajo, cebolla y manzana.

Las fuentes alimenticias

- **Los flavonoides** se encuentran sobre todo en los cítricos (limón, naranja, toronja), en el arándano, el mirtilo, la uva, el té y el vino tinto.

- **El cromo** está presente principalmente en los cereales integrales, la levadura de cerveza, el germen de trigo, el hígado y los riñones, algunas hortalizas (champiñón, betabel), los mariscos, la nuez, la mantequilla, la pimienta, el tomillo, el té negro, etcétera.

- **El zinc** se encuentra en muchos alimentos, pero sobre todo en los cereales, los mariscos, los ostiones y los moluscos de caparazón, en algunas hortalizas (brócoli, champiñón, espinaca, frijol), en la carne magra, la levadura de cerveza, la nuez, el pan integral, el pescado y la yema de huevo.

TRES AFECCIONES OFTALMOLÓGICAS

El ojo, al igual que la piel, es un órgano en contacto permanente con la luz. La retina es una gran consumidora de oxígeno. El cristalino es muy rico en vitamina C. El zinc es el oligoelemento más presente en el ojo. Estos cuatro factores hacen que las personas mayores estén particularmente expuestas a los fenómenos de los radicales libres, así como las hacen más sensibles a los antioxidantes que pueden, en cierta medida, prevenir o mejorar estas afecciones que no hace mucho tiempo se creían inevitables con el envejecimiento.

GLAUCOMA

El ojo está bañado por un líquido, el humor acuoso, que lo protege y le sirve de cojín amortiguador. La presión media de este líquido se sitúa entre 10 y 20 mm de mercurio. Su aumento a alrededor de 40 mm constituye lo que se llama un *glaucoma*. Esta enfermedad puede manifestarse por un trastorno de la visión o dolor en un solo ojo, acompañados o no de sensación de mareo general con náuseas o vómitos. El glaucoma, sin duda, es capaz de desencadenarse de manera repentina, lo que constituye entonces una verdadera urgencia médica, pero más a menudo se trata de una enfermedad crónica que debe tratarse **obligatoriamente** so pena de perder la vista. En la actualidad, se considera que el glaucoma tiene relación con un ataque de los radicales libres contra las proteínas (colágeno) que protegen al ojo y, por lo tanto, se previene o mejora en parte por medio de la ingestión de antioxidantes.

Los antioxidantes y el glaucoma

La **vitamina C** es eficaz para mantener la estructura química del colágeno del ojo.
Los **flavonoides** cumplen un papel importante como complemento.

CATARATAS

Esta complicación oftalmológica frecuente se asocia con una opacidad del cristalino por efecto del sol, el tabaco, los medicamentos, etc. Afecta a más de 50% de los adultos mayores de 65 años y es la principal causa de ceguera en el mundo. Puede ser congénita, debido a una infección o a la diabetes, pero más a menudo se relaciona con el envejecimiento de los tejidos del ojo. No existe ningún tratamiento clásico que no sea quirúrgico: por consiguiente, la mayor parte de las veces la actitud de los médicos consiste en esperar el momento adecuado para proponer ese paso en verdad salvador.

Los antioxidantes y las cataratas

Un estudio efectuado en Finlandia entre 1966 y 1984 reveló una relación entre la disminución de las tasas sanguíneas de vitaminas y betacaroteno y el aumento de la frecuencia de cataratas. Un consumo incrementado de **betacaroteno** o **vitamina E** permitió, además, reducir en forma significativa el número de casos.

La concentración de **vitamina C** en el interior del cristalino, 20 a 40 veces superior a la concentración sanguínea, baja mucho en el transcurso de la catarata: se podría obtener una acción protectora sobre el cristalino por medio de una complementación de 300 mg de vitamina C al día durante periodos largos.

El **glutatión** y el **selenio** están muy relacionados con la caza de los radicales libres: los pacientes con cataratas por lo regular tienen índices sanguíneos muy bajos de glutatión y de selenio, lo que favorece los daños ocasionados por los radicales libres.

Los **flavonoides** deben aconsejarse de manera muy regular al conjunto de estos pacientes.

DÍA TIPO DE PREVENCIÓN DE CATARATAS

Desayuno

Un tazón de té verde, un tazón grande de cereal integral con un vaso de leche descremada o de soya, una fruta fresca y un huevo pasado por agua.

Comida

Espárragos o betabeles, espolvoreados con germen de trigo o levadura, o aguacate (palta), zanahorias ralladas con ajo…, un plato grande de hortalizas estofadas (tomates, brócoli, champiñones, apio, pimiento rojo, etc.) con una pizca de canela y páprika, una ración de pescado rociado con un chorrito de aceite de oliva, una rebanada de pan integral, un lácteo magro, una fruta fresca y un vasito de buen vino tinto.

Cena

Hígado o riñones estofados, un tazón de cereal integral a elegir, una ensalada verde (berro, milamores, espinaca, diente de león, etc.) con aceite de oliva, jugo de limón y ajo, una fruta no tratada con cáscara (pera, manzana, uva, etc.) y un vasito de vino tinto.

La ausencia de tratamiento médico debe estimular el consumo de antioxidantes **sistemáticamente** y por periodos largos: aquí, más que en otros casos, seguramente sí vale la pena. Así que consuma frutas, verduras y complementos vitamínicos.

DEGENERACIÓN MACULAR

La zona más noble del ojo, llamada *mácula*, se encuentra en el centro de la retina: en ella se concentran los conos, células muy especializadas encargadas de recibir los rayos de luz.

La enfermedad se traduce en una disminución progresiva e irreversible, primero, de la visión central y, después, de la agudeza visual. Se agrava de manera aritmética con la edad: 2% de personas de 55 años, 20% de 65 años, y 30% de 75 años están afectadas por la degeneración macular. Es conveniente tratarla pronto y durante largo tiempo, por lo que las medidas que le proponemos son sencillas y sumamente benéficas.

Los antioxidantes y la degeneración macular

En algunas circunstancias particulares, es necesario reforzar los mecanismos de defensa del ojo. El tabaco, ya lo hemos visto, produce radicales libres, lo que disminuye la concentración de vitaminas E y C y de carotenoides. El sol en el ojo consume por sí solo muchos pigmentos amarillos (carotenoides), entre ellos la luteína y la xantina que ayudan a regenerar los pigmentos de la retina. Un primer estudio, realizado hace una decena de años, confirmó que el riesgo de degeneración macular era inversamente proporcional al consumo de **carotenoides**, que algunos no han dudado en llamar por el término, que no puede ser más explícito, de "anteojos naturales". El consumo regular de 400 UI de vitamina E reduce a la mitad el riesgo de degeneración macular.

Los **flavonoides**, en particular los de los arándanos, son excelentes protectores vasculares que regulan la microcirculación y refuerzan la resistencia capilar.

El **selenio** y el **glutatión** deben igualmente aportarse de manera obligatoria.

El **zinc** es el oligoelemento más abundante en el ojo, pero su concentración tiende a disminuir con la edad: por consiguiente, es imperativo vigilar su aporte en cantidad suficiente (del orden de 25 a 50 mg por día). Muchos estudios mostraron que, por supuesto, no podía curar esta enfermedad, pero sí frenaba indiscutiblemente su evolución.

Por último, el **ginkgo biloba** mejora la circulación y repara las pequeñas lesiones causadas por los radicales libres.

EL GINKGO BILOBA

Este árbol mítico originario de Asia, venerado desde siempre en todo el lejano Oriente, es uno de los más antiguos de la Tierra y de los más robustos, ya que resistió incluso la bomba atómica de Hiroshima. En la actualidad, se cultiva en todas partes y, en particular, en Francia y Estados Unidos.

- **Propiedades:** posee una acción esencial contra la insuficiencia circulatoria del cerebro, responsable de pérdidas de memoria, dificultades de concentración y trastornos de la vigilia, del humor, del equilibrio, etc. Es un vasodilatador, diminuye la viscosidad de los vasos sanguíneos, lo que le otorga un carácter de regulación capilar y le permite mejorar la circulación. Actúa también sobre las venas: entra así en la composición de geles venotónicos o de supositorios destinados a aliviar las crisis hemorroidales. Finalmente, la presencia de flavonoides le confiere propiedades antioxidantes **indiscutibles**.

- **Instrucciones:** la forma de utilización principal es la tintura madre. Adquiera un frasco de 60 ml de ésta en su farmacia y tome 30 gotas en un poco de agua dos o tres veces al día durante algunas semanas. El polvo de las plantas sirve para preparar cápsulas que se venden en las farmacias. Posología: dos cápsulas dos veces al día durante algunas semanas. El ginkgo en forma de extracto está presente en muchas especialidades farmacéuticas. Consulte las que se venden en su localidad.

DÍA TIPO DE PREVENCIÓN OFTALMOLÓGICA

Desayuno

Un tazón grande de té verde, un vasito de jugo de zanahoria o de jugo de frutas multivitaminado, frutas (una taza de grosellas negras, una guayaba, un kiwi, papaya, una naranja, un lichi, algunas fresas, etc.), un huevo o un lácteo magro, oleaginosas (almendra, avellana, semillas de girasol, nuez de cajú, nuez, etc.), una rebanada de pan integral con una cucharadita de aceite de oliva o de colza.

Comida

Una entrada de zanahorias o de tomates: pastel de zanahorias, tomates con queso feta..., o bien una ensalada de verduras (brócoli crudo, col china o morada, ejotes, betabel...), o incluso algunos espárragos, una alcachofa (alcaucil) o un aguacate sazonados con un chorrito de limón, germen de trigo, levadura de cerveza, una ración de pescado, de mariscos o de ostiones (ostras) o de cualquier otro producto del mar, una ración de cereal integral, una ración pequeña de queso de cabra o de oveja, una fruta fresca o un postre no muy azucarado de frutas rojas u otras (albaricoque, manzana, pera...) y un vasito de buen vino tinto o una taza de té verde.

Cena

Una sopa de hortalizas (cebolla, champiñón, col...) sazonada con ajo o una ensalada compuesta (maíz, pimiento rojo o amarillo, tomate, zanahoria...) aliñada con aceite de oliva y jugo de limón, una ración de carne (res magra, riñones, hígado...) o de vez en cuando un huevo, una ensalada verde o verduras cocidas a elegir, según la entrada, un lácteo magro o un yogur de soya, una fruta fresca o un postre no muy azucarado de frutas y un vasito de buen vino tinto.

La mejoría de la visión y la prevención de las enfermedades degenerativas de los ojos deben:

- incluir una alimentación variada y equilibrada,
- prever el consumo de complementos:
- vitaminas C y E,
- carotenoides,
- flavonoides,
- glutatión,
- selenio,
- zinc,
- los aceites de pescados y el ginkgo biloba son los preferidos.

Las fuentes alimenticias

- Los siguientes alimentos son importantes para aumentar **el glutatión** en el organismo: ajo, espárrago, alcachofa, aguacate, betabel, brócoli, canela, zanahoria, coles diversas, frijol, avellana, huevo, cebolla, diente de león, pera, manzana.
- **El selenio** se encuentra sobre todo en el ajo, los cereales integrales, la carne, la col, el germen de trigo, el huevo, la levadura de cerveza y las menudencias de las aves.

DOS ENFERMEDADES DEL SISTEMA NERVIOSO

Las enfermedades de Alzheimer y Parkinson vienen de inmediato a la mente de los pacientes cuando se menciona el daño cerebral, ya que son particularmente temibles: la primera, aterradora, constituye un símbolo de la demencia; la segunda no se queda atrás, ya que evoca la imagen inquietante de la decadencia mental y física. El fenómeno "radicales libres/antioxidantes" aporta su pequeña contribución a la prevención y el mejoramiento de estas dos graves enfermedades.

LA ENFERMEDAD DE ALZHEIMER

Esta enfermedad es relativamente frecuente, ya que afecta a casi 28 millones de personas en todo el mundo, pero dos tercios de los casos no se diagnosticarían debido a la aparición terriblemente insidiosa de los síntomas.

La enfermedad de Alzheimer, llamada así por el médico alemán que la describió a principios del siglo XX, afecta a 5% de los mayores de 65 años y 20% de los mayores de 80 años. Cada vez se conoce mejor: se diagnostica por lo general alrededor de los 77 años, se caracteriza por trastornos de la memoria o manifestaciones del comportamiento psíquico (cambios de personalidad, ausencias, fugas, dificultades recientes del lenguaje, etcétera).

Pruebas sobre las competencias, el funcionamiento social, la lectura, las labores del hogar, la conversación, la memoria, los desplazamientos, la orientación y acciones más específicas como el uso del teléfono o el manejo de los aparatos de la casa, confirman el diagnóstico.

Esta importante causa de invalidez en una población cuya esperanza de vida no deja de aumentar constituye, en la actualidad, un verdadero problema de salud pública en todo el mundo.

Los radicales libres y la enfermedad de Alzheimer

Considerada durante mucho tiempo como un desorden psicológico, la enfermedad hoy se relaciona con depósitos de proteínas (sustancia amiloidea) que se fijan en los nervios y provocan que se adhieran, impidiéndoles funcionar normalmente.

Cuando la alimentación no aporta suficientes ácidos grasos esenciales, las células del cerebro (neuronas) atacan sus propias membranas ricas en grasas, lo que desencadena y alimenta los fenómenos de destrucción nerviosa. Al cerebro le cuesta cada vez más trabajo "registrar"; los acontecimientos antiguos ya no se recuerdan, los nuevos ya no se memorizan, el pensamiento, o más exactamente la expresión de un pensamiento lógico, pierde la ilación y se vuelve aleatorio. Los trastornos del comportamiento se apoderan completamente del paciente, lo cual resulta muy doloroso e inquietante para sus seres queridos.

Los antioxidantes y la enfermedad de Alzheimer

Los ancianos presentan con facilidad carencia

de vitaminas B; todos los estudios así lo confirman: tal disminución quizá interviene para favorecer o agravar los síntomas. El aporte de **vitaminas del grupo B** (B1, B3, B5, B6, B9, B12) es quizá la primera medida que hay que tomar, y sin duda la más eficaz, para tratar de mejorar las funciones intelectuales.

Las **vitaminas A, C y E** también deben aportarse en cantidades suficientes para la alimentación o complementación.

El **zinc** interviene de manera determinante, pues frena la formación de la placa amiloidea.

El **selenio** permite luchar contra los fenómenos inflamatorios, causa y consecuencia de los depósitos de amilosa.

El **ginkgo biloba** mejora, a veces de manera espectacular, tanto la circulación como la memoria.

Las fuentes alimenticias

Las **vitaminas B1, B3 y B6** se encuentran en la carne, los cereales, los huevos, el pan y el pescado. La **vitamina B5** está presente sobre todo en la leche y los lácteos, la carne y los huevos; la **vitamina B9**, en los cereales, las frutas frescas, las verduras y el pan; la **vitamina B12**, en la carne, los huevos, el pescado y los productos lácteos.

LA ENFERMEDAD DE PARKINSON

Temblores de la mano, marcha a pasitos muy pequeños, tronco un poco inclinado hacia delante, habla vacilante con temblores en la voz son algunos de los síntomas más característicos de esta enfermedad invalidante que afecta esencialmente a los ancianos. Las complicaciones más temibles, considerando la edad promedio de los pacientes, son las caídas con consecuencias a veces graves e incluso trágicas.

Los radicales libres y la enfermedad de Parkinson

Esta afección se debe a las lesiones y muerte de algunas células nerviosas (neuronas) fácilmente atacadas por la oxidación, ya que su membrana es rica en ácidos grasos.

Crema Budwig

Reúne en un delicioso desayuno todos los elementos indispensables para el buen funcionamiento del organismo. La elaboró Joana Budwig, farmacéutica, y la popularizó y difundió el célebre doctor Kousmine. Es sana, energética y fácil de preparar. Existen numerosas variantes de esta receta base. Sin embargo, queso o yogur magros, aceites vegetales de primera presión en frío, ricos en ácidos grasos poliinsaturados, jugo de limón, miel, cereales molidos y semillas oleaginosas intervienen siempre en su composición.

Ingredientes para una persona
- 4 cucharadas de queso blanco magro o de yogur magro
- 2 cucharaditas de aceite de ajonjolí, girasol… o cualquier otro aceite vegetal rico en ácidos grasos poliinsaturados
- 1 plátano machacado o 1 cucharadita de miel
- El jugo de medio limón orgánico
- 2 cucharaditas de cereales crudos molidos (avena, cebada, trigo, trigo sarraceno…)
- 2 cucharaditas de semillas oleaginosas molidas (ajonjolí, avellana, girasol o nuez)
- Pedazos de frutas frescas de la estación

Preparación
Coloque las cuatro cucharadas de queso o yogur en un recipiente; agregue el aceite vegetal, mezcle bien, a fin de obtener una preparación homogénea. Machaque el plátano con un tenedor sobre un plato para obtener un puré burdo. Agréguelo a la preparación y mezcle bien. Puede reemplazar el plátano por dos cucharaditas de miel. Vierta el jugo de limón exprimido, mezcle otra vez. En un molino de café, muela los cereales crudos y las semillas oleaginosas. Agréguelos a la preparación, bata todo con ayuda de un tenedor, adorne con pedazos de frutas frescas de la estación, mezcle bien y disfrútelo.

Los antioxidantes y la enfermedad de Parkinson

La **vitamina E** y el **zinc,** tomados en dosis suficientes y durante bastante tiempo, protegerán hasta cierto punto contra la aparición inesperada de esta enfermedad.

Las fuentes alimenticias

- **Las vitaminas del grupo B** se encuentran sobre todo en los cereales integrales, los champiñones, los lácteos, las verduras secas, la levadura de cerveza, el huevo, la carne (hígado y menudencias de las aves).
- **Los aminoácidos azufrados** están presentes en el ajo, la carne (pato), la cebolla, la col, el espárrago, el huevo, el frijol, la leche y los lácteos, los mariscos, el pescado y el puerro (poro)…

DÍA TIPO DE PREVENCIÓN DE ENFERMEDADES NEUROLÓGICAS

Desayuno

Una crema Budwig (*véase* página 31).

Comida

Una ensalada de arroz, garbanzos, lentejas, frijoles de soya… con cebolla, ajo y perejil, canela, pimienta…, una ración de carne magra, hígado, riñones o pescado o cualquier otro producto del mar a elegir, un plato grande de hortalizas de hoja verde con una salsa de tomate, un lácteo magro a elegir, una compota de frutas frescas sin añadir azúcar (pera, manzana, fresa, frambuesa…), un vasito de vino tinto.

Cena

Una buena porción de tarta salada de verduras, una ensalada verde con aceite de oliva y de colza, ajo, perejil, germen de trigo, levadura de cerveza, una ración pequeña de queso de cabra o de oveja de preferencia (suprímase si la tarta salada ya contiene queso), algunas oleaginosas, un vasito de buen vino tinto.

Conclusiones para las afecciones neurológicas

El campo de los radicales libres y de los antioxidantes no deja de extenderse en neurología. Los ácidos grasos monoinsaturados de aceite de oliva prevendrían la pérdida de memoria y la decadencia de las facultades mentales.

La prevención y la disminución de la mayoría de las afecciones neurológicas y en particular de las enfermedades de Alzheimer y Parkinson se dan por:

- una alimentación variada y equilibrada;
- una complementación con ayuda de los nutrientes siguientes:
- ácidos grasos esenciales,
- vitaminas A, C y E,
- aminoácidos azufrados,
- zinc,
- selenio,
- ginkgo biloba.

OTROS GRUPOS DE AFECCIONES

El fenómeno "radicales libres/antioxidantes" es responsable de varios trastornos que afectan a la mayor parte de las funciones del organismo.

ALERGIAS

Los síntomas de los pacientes alérgicos se deben a una liberación de histamina. Esta sustancia, almacenada por las células de la piel y de los pulmones, se libera cuando el organismo entra en contacto con el *alergeno*, es decir, la molécula a la cual se es alérgico, ya sea polen, huevo o fresa, veneno de abeja, etcétera.

Tal liberación de histamina puede provocar enrojecimientos, erupciones cutáneas con irritación, flujo nasal, estornudos, comezón (prurito), dolores de cabeza, etcétera.

Los antioxidantes, con la vitamina C a la cabeza, tienen un papel regulador: se aconseja dárselos a los alérgicos en periodos agudos.

DERMATOLOGÍA

La piel está en contacto permanente con la luz, lo que genera una gran liberación de radicales libres.

El betacaroteno la protege de los rayos ultravioleta, la vitamina E previene la oxidación de las grasas y retarda su envejecimiento.

Los ácidos grasos desempeñan un papel importante para conservarla o darle su aspecto liso, su suavidad y elasticidad.

Muchos micronutrientes, como el cobre, el magnesio y el zinc, intervienen también para protegerla.

Debe cuidarse que la alimentación sea equilibrada y aporte los micronutrientes antes mencionados, así como y sobre todo ácidos grasos poliinsaturados (*véase* el capítulo correspondiente) como el aceite de borraja.

LA BORRAJA

Originaria de la cuenca del Mediterráneo, muy presente en el Magreb y el sur de España, esta planta herbácea anual se cultiva por su aceite, que se extrae de las semillas por presión en frío.

- **Propiedades:** posee una acción esencial contra muchos problemas cutáneos, protege tanto de los efectos del sol como de los estragos del tiempo. Evita la resequedad de la piel, la hace más flexible y resistente, mejora el aspecto y la calidad de las uñas y del cabello.

- **Instrucciones:** el aceite, que se extrae de las semillas por una primera presión en frío y se utiliza de manera terapéutica, casi siempre se presenta en cápsulas que se obtienen en la farmacia.

En uso interno: una cápsula dos veces al día durante algunos días contra los problemas cutáneos, infecciosos o ginecológicos.

En uso local: una cápsula abierta y aplicada sobre la piel ayuda a tratar el eczema y algunas afecciones dermatológicas con prurito.

GASTROENTEROLOGÍA

En los accesos inflamatorios de la rectocolitis hemorrágica y de la enfermedad de Crohn también participan los mismos fenómenos de los radicales libres.

Los tratamientos con cortisona detienen la enfermedad, pero probablemente fomentan las lesiones edematosas y necróticas mediante la liberación de numerosos radicales libres.

Para lograr una estabilización e incluso una mejoría, resulta imperioso añadir antioxidantes. Además, el riesgo de cáncer de intestino se multiplicaría por veinte en esos pacientes, principalmente por dos razones: la mala absorción de la vitamina B9, cuyo papel protector es esencial, y la utilización de la cortisona, que disminuye aún más esta absorción.

Por lo tanto, es importante suministrar a los pacientes dosis adecuadas de **vitamina B9**, que protege, y de **zinc**, que propicia su absorción.

La alimentación también debe aportar **fibras**, que "limpian" el intestino favoreciendo las "buenas" bacterias, y probióticos, que refuerzan sus defensas.

Cómo aportar la cantidad necesaria de fibras

Es posible recurrir diariamente, de acuerdo con su gusto, solas o asociadas, a:
- dos cucharadas de salvado,
- cuatro rebanadas de pan integral,
- tres cucharadas de germen de trigo,
- una taza de leguminosas crudas,
- una barquilla de frambuesas,
- cinco ciruelas crudas,
- tres dátiles o tres albaricoques secos, dos frutas frescas, tres verduras.

LOS PROBIÓTICOS

Nuestro organismo abriga una gran cantidad de bacterias, algunas de las cuales son absolutamente indispensables. Las bacterias amistosas presentes desde el nacimiento controlan a la perfección a las bacterias nocivas, secretando el ácido láctico que desanima a los huéspedes indeseables.

Producen asimismo sustancias con propiedades antibióticas, de ahí su nombre, *probióticos*.

Cuando están presentes en número suficiente y en equilibrio, aseguran de manera eficaz su función de limpieza y de prevención. Cuando disminuye su número (por la edad, cambio de dieta, estrés, tratamiento antibiótico, etc.), sus funciones de defensa se reducen, pueden aparecer síntomas clínicos y se hace necesario volverlos a sembrar.

- **Propiedades:** controlan la proliferación de bacterias nocivas y restauran la flora intestinal, refuerzan las reacciones de defensa y permiten combatir mejor las infecciones, estimulando el sistema inmunológico y produciendo vitamina C, predigieren las proteínas, lo que mejora la digestión, y fabrican vitaminas del grupo B.

- **Instrucciones:** los encontrará en el yogur natural, que contiene bacterias vivas (*acidophilus, casei, bifidus…*), así como en forma de ampolletas, cápsulas, comprimidos, medicamentos en las farmacias o en las tiendas de productos naturales.

NEUMOLOGÍA

Los radicales libres, al aumentar la susceptibilidad a las infecciones y dañar el tejido pulmonar, son responsables de numerosas afecciones respiratorias (asma, enfisema, angustia respiratoria…).

Estudios científicos realizados con obreros mexicanos expuestos a la contaminación confirmaron que los antioxidantes permiten hacer frente a algunos efectos nefastos de la contaminación: aquellos que recibieron un complemento nutricional que asociaba las tres vitaminas antioxidantes resistieron mucho mejor que los demás los efectos del ozono.

EL PROBLEMA PARTICULAR DEL TABACO

Su nefasto papel es bien conocido. Tan sólo recordemos que cada cigarrillo fumado elimina ocho minutos de vida, que un paquete al día

resta un mes a cada año, que dos paquetes al día suprimen de doce a quince años de vida.

La vitamina C es esencial para prevenir la oxidación de las grasas, primera etapa del proceso que lleva al cáncer. Protege al fumador… pero el hecho de fumar disminuye la inclinación por los alimentos ricos en vitamina C…, los cuales, sin embargo, justo el fumador necesita más que otras personas.

El fumador tiene tasas de betacaroteno mucho más bajas que el no fumador, lo que asimismo podría favorecer la aparición inesperada de cáncer, ya que esta sustancia posee una acción propia inmunoestimulante. Si se agrega el hecho de que el alcohol, con frecuencia asociado al tabaco, destruye las reservas de vitamina A almacenadas en el hígado, comprendemos mejor por qué esta "asociación de malhechores" resulta tan agresiva para la salud.

REUMATOLOGÍA

Muchas afecciones reumatológicas particularmente invalidantes también se relacionan con el sistema "radicales libres/antioxidantes". La desesperante cronicidad de una tendinitis común que tarda por lo regular 18 meses en sanar podría explicarse mediante este fenómeno.

Los radicales libres y las afecciones reumatológicas

Los radicales libres provocan o fomentan la enfermedad y agravan sus consecuencias. Enfermedades como la artrosis parecen mejorarse al tomar vitamina E, con una eficacia, en ciertos estudios, casi equivalente a la de los antiinflamatorios… ¡sin los efectos secundarios!

Los antioxidantes y las afecciones reumatológicas

Los tratamientos tradicionales (antiinflamatorios, cortisona…) sin duda son eficaces, pero generan radicales libres. Si la alimentación no proporciona suficientes antioxidantes, los fenómenos se asientan y se perpetúan, y cada cura terapéutica alimenta un poco más el fenómeno de inflamación y destrucción del cartílago.

Es imperativo mantener tasas elevadas de antioxidantes y sobre todo de **vitaminas A** (betacaroteno), **C** y **E**, que conviene prescribir solas o asociadas a otros tratamientos.

DÍA TIPO DE PREVENCIÓN (O TRATAMIENTO) REUMATOLÓGICO

Desayuno

Una bebida caliente a elegir (excepto leche o chocolate con leche), un vaso de leche de soya o un yogur de leche de soya, una rebanada pequeña de jamón magro, de pechuga de pollo o un huevo; cada tercer día, una fruta fresca: kiwi, caqui, mango, papaya, naranja...; algunas oleaginosas: nuez, avellana, almendra, nuez de cajú...

Comida

Un plato de verduras crudas o una ensalada compuesta de alcachofa, aguacate, brócoli crudo, champiñón, cebolla, col china o morada, espárrago, espinaca, ejotes, milamores, pimiento, betabel, zanahoria... con perejil, ajo, germen de trigo, levadura de cerveza, aceite de oliva y de colza, una carne magra a elegir o una rebanada de hígado o riñones o un pescado o mariscos con canela, páprika..., un plato de pisto o una sartenada de verduras a elegir con cebollas y aceite de oliva, un mousse de frutas (frambuesa, kiwi, fresa, plátano...) sin agregar azúcar, dos o tres oleaginosas: nuez, avellana, almendra, nuez de cajú...

Cena

Un plato grande de zanahorias ralladas con ajo, limón, aceite de oliva, perejil fresco picado, germen de trigo y levadura de cerveza, una ración de pescado graso a elegir (arenque, atún, caballa, salmón, sardina) o cualquier otro producto del mar, un plato pequeño de papas o de camotes salteados con aceite de oliva y ajo, un postre a base de leche de soya, una fruta fresca a elegir.

Los accesos inflamatorios de las afecciones reumatológicas necesitan:

- una alimentación variada y equilibrada que excluya provisionalmente leche, lácteos y cereales;
- una complementación por medio de:
- ácidos grasos omega 3 y omega 6,
- vitaminas A, C y E,
- aminoácidos azufrados,
- selenio,
- zinc.

SIDA

El equilibrio "radicales libres/antioxidantes" desempeña, sin duda alguna, un papel central en la infección por VIH (virus de inmunodeficiencia humana) y en la evolución de la enfermedad: las nociones de "estrés oxidante" son hoy en día bien conocidas por los pacientes y el cuerpo médico.

Los radicales libres, los antioxidantes y el sida

El virus aumenta la cantidad de radicales libres producidos, pero la tasa de antioxidantes en los pacientes infectados es inferior a la de las personas sanas. Muchos estudios confirman que los pacientes afectados no tienen suficiente vitamina E (aun cuando es esencial), carotenoides, selenio ni zinc en la sangre, lo que disminuye sus posibilidades de defensa. La nutrición en general y el aporte de antioxidantes en particular intervienen, por lo tanto, indiscutiblemente para frenar la evolución de la enfermedad.

DÍA TIPO PARA UN PACIENTE SEROPOSITIVO

Desayuno

Una bebida caliente a elegir o un vasito de leche descremada o de soya, un cereal integral o una buena rebanada de pan integral con una cucharadita de mantequilla, una fruta fresca (guayaba, mango, melón, toronja rosada, sandía...), un huevo, tres veces por semana, si no, una rebanada de jamón magro o de pechuga de pavo.

Comida

Una ración pequeña de carne magra (hígado de ternera, de cerdo, de res magra) o de pescado asado, en brocheta, escalfado… aromatizado con tomillo, laurel, echalote…, una ensalada verde a elegir con ajo, perejil, jugo de limón, aceite de oliva y de colza, un tazón pequeño de cereal integral (arroz, trigo, mijo…) o de leguminosas (ejotes, lentejas, soya…), una ración de queso de cabra o de oveja y una fruta fresca a elegir.

Cena

Una sopa de verduras (brócoli, cebolla, frijoles, zanahoria…) o un plato grande de verduras crudas con ajo, perejil, jugo de limón, aceite de oliva y de colza, una ración de pescado o de mariscos o una ración de tarta salada, una terrina… sin carne, a base de verduras y huevos, un lácteo magro, dos bolas de sorbete de frutas.

ENVEJECIMIENTO

Después de la aparición del hombre mucho se ha hablado, filosofado, escrito y anhelado al respecto, y se han propuesto soluciones, unas más milagrosas que otras.

El sistema "radicales libres/antioxidantes" permite por lo menos comprender mejor este fenómeno y quizá retardar algunos de sus estigmas. Los antioxidantes, al controlar la producción de radicales libres, retardan probablemente el proceso y protegen contra algunos de sus efectos desagradables e, incluso, a veces los evitan.

Las causas del envejecimiento

El envejecimiento es el resultado de una incapacidad progresiva de las células para multiplicarse de manera correcta: estas operaciones no sólo se realizan con mayor lentitud, sino que también sufren algunas fallas, por lo que surgen y proliferan algunas células con patrimonio genético ligeramente modificado. Además, con la edad el organismo tiende a fabricar en menor cantidad sus antioxidantes

protectores: una alimentación bien escogida puede paliar en parte esta deficiencia.

Algunos síntomas de los ancianos

El endurecimiento de los vasos sanguíneos, el debilitamiento muscular, la disminución de la visión o de la audición, la osteoporosis, la decadencia física e intelectual… forman parte de lo que por desgracia se observa y resiente en general al avanzar la edad.

Los radicales libres, los antioxidantes y el envejecimiento

Dentro de ciertos límites, es posible matizar el envejecimiento, por el momento ineludible, si se evitan al máximo las situaciones que generan una gran cantidad de radicales libres y se elige una alimentación rica en antioxidantes.

Esto permite favorecer por más tiempo la apariencia física, la autonomía y las facultades intelectuales, y se evitan o retardan al mismo tiempo algunas enfermedades que ineludiblemente aparecerán.

Estudios recientes acerca del estado nutricional de los ancianos muestran que carecen de vitamina E, aunque ésta constituye nuestra mejor protección contra los radicales libres.

Alimentación recomendada

Una alimentación variada y equilibrada, asociada con actividad física e intelectual, contribuye mucho a la salud. Pero la alimentación habitual de los ancianos es incompatible con el equilibrio que exige la salud: sus necesidades nutricionales son mayores, al contrario de lo que se cree, ya que sus aportes en calorías, nutrientes, vitaminas y minerales por lo regular disminuyen.

La alimentación de los ancianos debe ser variada y equilibrada y aportar:

- **Grasas poliinsaturadas** (aceite de colza, de girasol…), **ácidos grasos de tipo omega 3** (aceites de pescados…) y **grasas monoinsaturadas** (aceite de oliva…), preferibles a las grasas saturadas (aceite de cacahuate o maní, carnes grasas…). Un poco de mantequilla puede resultar útil.

- **Azúcares lentos** (pan, pastas, papa, arroz…), preferibles a los azúcares rápidos (terrones de azúcar, mermelada, miel…) que, sin embargo, se consumen fácilmente.

- Algunos aminoácidos ricos en azufre (cisteína), útiles para reforzar las tasas de glutación.
- Proteínas indispensables para combatir el debilitamiento muscular.
- Algunos oligoelementos más importantes que otros: el **magnesio**, necesario, incluso indispensable, para muchas reacciones químicas del organismo; el **calcio**, para producir o no perder demasiada masa ósea; y, por supuesto, el **selenio** y el **zinc**, por su actividad antioxidante.
- **Las vitaminas A, B, C, E**…, así como la **vitamina D**, que ayuda a fijar el calcio.
- **Fibras**, indispensables para la buena salud del intestino, las cuales se encuentran en muchas frutas y verduras.

De manera práctica

Cada comida debe aportar una de tres grasas benéficas:
- una cucharadita de mantequilla en el desayuno,
- aceite de oliva con las verduras a medio día,
- un pescado "graso" (atún, arenque, boquerón, caballa, salmón, sardina…) tres días por semana, una ensalada con aceite de colza los otros tres días.

La "sobreproteinación" puede realizarse en el desayuno incorporando un huevo tres veces por semana, una carne fría o jamón magro los otros tres días y recurriendo a los cereales, que en la actualidad hay para todos los gustos.

DÍA TIPO DE PREVENCIÓN DEL ENVEJECIMIENTO

Desayuno

Un tazón de té verde con una cucharadita de fructuosa, un vaso de leche descremada o de soya, una rebanada de pan integral con una cucharadita de mantequilla, un huevo o una carne magra (pechuga de pavo, jamón…), una fruta fresca, algunas oleaginosas.

Comida

Un tazón pequeño de verduras crudas a elegir: champiñones a la griega, tomates con *mozzarella*, endibias con nueces y manzanas, con aceite de oliva, limón, germen de trigo, levadura de cerveza y perejil, una ración pequeña de carne magra o de pescado graso (atún, arenque, caballa, salmón, sardina), un plato de verduras cocidas a elegir o un tazón pequeño de papas, cereales o leguminosas a elegir, una ración pequeña de queso, una compota de frutas, un vasito de buen vino tinto.

Cena

Una sopa de verduras variadas (calabaza, cebolla, puerro [poro], tomate, zanahoria…), una ración pequeña de pescado graso o de mariscos, una ensalada verde con aceite de colza, limón, levadura de cerveza, ajo y perejil, un lácteo descremado a elegir, una taza de frutas frescas, un vasito de buen vino tinto.

Muchas otras enfermedades se relacionan hoy en día con los radicales libres: acné, alcoholismo, cicatrización, fatiga, problemas de infertilidad masculina, fragilidad capilar y problemas venosos, hemorroides, problemas infecciosos otorrinolaringológicos repetidos, estrés, trastornos de memoria distintos del Alzheimer… Esta lista no es, por supuesto, restrictiva, ya que la salud es resultado de un buen equilibrio entre la liberación de los radicales libres y su captura por los antioxidantes.

La necesidad de recurrir a los antioxidantes se debe mucho a factores ambientales que aumentan la producción de los radicales libres: alcohol, consumo de carnes muy cocidas, contaminación atmosférica o industrial, utilización de pesticidas, tabaco, estrés, etcétera.

El efecto de un complemento probablemente no sea más importante que evitar esas situaciones "tóxicas", o practicar una actividad física moderada y regular. Por consiguiente, parece indispensable que usted vigile tanto su modo de vida como su alimentación (lo cual a veces puede ser suficiente) y luego, más a menudo, complementarla.

los
nutrientes

EL GRAN PRINCIPIO DEL EQUILIBRIO Y LA VARIEDAD

EL HOMBRE EXTRAE DE LA ALIMENTACIÓN ENERGÍA Y ELEMENTOS NECESARIOS PARA VIVIR, ASUMIR SUS FUNCIONES FISIO-LÓGICAS, DESARROLLARSE, REPARAR SUS CÉLULAS Y LUCHAR CONTRA LA ENFERME-DAD. ESTA COBERTURA DE NECESIDADES MEDIANTE ALIMENTOS BIEN ELEGIDOS ES ESENCIAL PARA MANTENER EL EQUILIBRIO QUE DEFINE LA "SALUD".

NUTRIENTES

Tres grupos de nutrientes, sustancias aporta-das por la alimentación, contribuyen al buen funcionamiento del organismo:
- **Azúcares,** que proporcionan la energía.
- **Grasas,** que la almacenan.
- **Proteínas,** que permiten fabricar los músculos.

Es necesario no sólo aportar con regularidad, sino en cantidades bien definidas y equili-bradas, estos tres grupos de nutrientes o macronutrientes, absolutamente indispensa-bles para la vida.
Si se eligen y distribuyen de manera inade-cuada o se consumen en exceso, generan radicales libres, cuya acción perjudicial acaba-mos de estudiar. Por consiguiente, escogerlos bien es decisivo para mantener la buena salud o, en caso contrario, nos precipitaremos a la enfermedad.
Estas nociones son en la actualidad unáni-memente reconocidas por los científicos.

Insistiremos tan sólo en los aspectos esen-ciales.

MICRONUTRIENTES

Cuatro grupos de micronutrientes, contenidos en los alimentos o en sus derivados, pues par-ticipan en múltiples funciones esenciales del organismo, son extremadamente importantes. Están presentes en cada una de nuestras célu-las en pocas cantidades, pero son, no obstante, muy valiosos para la salud.
- **Vitaminas:** absolutamente indispensables para la vida.
- **Minerales:** necesarios para el buen fun-cionamiento de nuestras células, glóbulos sanguíneos, huesos…
- **Ácidos grasos** y **aminoácidos:** su importan-cia se subestimó durante mucho tiempo; el interés por ellos ha aumentado con los avan-ces en materia de nutrición.
- **Antioxidantes:** elementos esenciales para las reacciones de defensa del organismo, se en-cuentran sobre todo en las frutas y verduras, alimentos en particular ricos en vitaminas A, C y E y en minerales (selenio y zinc).

La alimentación moderna occidental asocia un "exceso calórico" (demasia-das calorías, demasiadas grasas malas, demasiados azúcares rápidos…) a una "escasez micronutricional" (deficiencias en minerales y vitaminas).

La "alimentación para la salud", tal como la definimos, debe cuidar dos principios básicos:
● elegir bien los nutrientes básicos, inspirándose principalmente en el modelo cretense;
● aportar cantidades suficientes de antioxidantes.

LOS AZÚCARES, LA PRINCIPAL FUENTE DE ENERGÍA

AUNQUE SE REDUZCA LA ALIMENTACIÓN, LOS AZÚCARES CONSTITUYEN SU PRINCIPAL FUENTE DE ENERGÍA (CASI LA MITAD); HACE APROXIMADAMENTE UN SIGLO, LOS AZÚCARES CONSTITUÍAN 2/3 O 3/4 PARTES DE LOS APORTES, LO CUAL RESULTABA EXCESIVO.

INDISPENSABLES Y PELIGROSOS A LA VEZ

Es difícil abordar la "alimentación para la salud" sin evocar el doble papel de los azúcares, que a la vez son la mejor y la peor de las cosas:
- la mejor, cuando aportan al organismo la energía disponible de inmediato e indispensable para su funcionamiento;
- la peor, cuando son el elemento que provoca la reacción de oxidación, de la cual hoy sabemos los daños importantes que ocasiona a la membrana celular y a los vasos sanguíneos.

El término "glúcido" viene del griego *glukus*, "dulce". Hablamos, además, fácilmente de "dulce" para designar a una golosina.

Aumento en la producción anual mundial de azúcar

- 1800   250 000 toneladas
- 1900   10 000 000 toneladas
- 2000   92 000 000 toneladas

El consumo de azúcar por persona por año ha ido aumentando principalmente en los países industrializados de América y Europa.

Un mejor conocimiento de los azúcares y su utilización más racional son decisivos en una perspectiva de salud.

LAS GLUCOSA, EL PRINCIPAL SUSTRATO ENERGÉTICO

Diariamente, de 250 a 300 g de azúcares (glúcidos) deben proporcionarnos la mitad de la ración energética promedio que en la actualidad se calcula en alrededor de 2 000 a 2 500 calorías.

La glucosa es el elemento más conocido y el más importante, ya que muchos tejidos del organismo (glóbulos rojos, pulmones, músculos, cerebro…) la utilizan directamente y de manera preferente.

El azúcar refinada representa de 10 a 15% del consumo global de glúcidos, alrededor de 30 a 40 g, es decir 6 a 8 terrones de azúcar, lo que es excesivo.

Las reservas de azúcares del organismo son muy limitadas, del orden de 300 g, y se sitúan principalmente en el hígado y los músculos. El aporte regular de azúcares es, por consiguiente, una necesidad para el organismo, ya que se utilizan todo el tiempo y se almacenan poco.

El hígado se encarga de distribuir la glucosa para mantener una tasa constante en la sangre y evitar en particular las variaciones bruscas de hipoglucemia (cifras hacia la baja) o de hiperglucemia (cifras demasiado elevadas).

LOS AZÚCARES "BUENOS" Y "MALOS"

Según su estructura química, podemos distinguir los azúcares simples de los complejos:
- el primer grupo lo componen la glucosa, la sacarosa, la fructuosa, la lactosa…
- el segundo incluye el almidón, la celulosa…

Algunos consejos

- Si usted no puede prescindir del sabor dulce en sus yogures y bebidas calientes, reemplace el azúcar por fructuosa.

- En sus pasteles, reemplace el azúcar por fructuosa y divida entre dos las dosis de azúcar (excepto en nuestras recetas, donde la cantidad de fructuosa utilizada ya fue reducida en relación con la cantidad que por lo general se recomienda).

- Evite consumir alguna azúcar rápida sola, fuera de las comidas: ¡es catastrófico para la línea y para la salud!

- En lugar de dejarse tentar por una tablilla de chocolate (rica en grasas saturadas y en azúcares con índice glucémico elevado), consuma una rebanada de pan integral con una cucharadita de margarina enriquecida con vitaminas y aceites esenciales.

- Cocine sus pastas *al dente* para bajar su índice glucémico: así tendrán un índice inferior al de las pastas muy cocidas.

- El índice glucémico de la papa hecha puré es más importante que el de la papa entera cocida en agua.

- El chocolate oscuro tiene un índice glucémico relativamente bajo; por otra parte, es rico en magnesio, pero muy calórico: puede consumirlo... de vez en cuando.

Precaución

- Las pastas cocidas *al dente* son azúcares lentos, mientras que las cocidas mucho tiempo se convierten en azúcares rápidos.

- Las frutas secas, si se consumen solas, constituyen azúcares rápidos, mientras que si se ingieren después de comer, son azúcares lentos.

EL PAPEL DE LOS AZÚCARES

Esos dos grupos de azúcares tienen una función principal: producir energía y calor.

• Los "azúcares simples" o "azúcares rápidos" o también "azúcares malos" los absorbe y utiliza muy rápidamente el organismo y los almacena en forma de grasas.

• Los "azúcares complejos" o "azúcares lentos" o también "azúcares buenos" necesitan algunas etapas químicas intermedias antes de que el organismo los pueda utilizar. Proporcionan una energía de liberación prolongada y evitan las sacudidas glucémicas de los azúcares simples, ya que toman de cuatro a diez horas para ser digeridos. Deben preferirse a los primeros.

PRINCIPALES FUENTES DE AZÚCARES

• **Los azúcares rápidos** se encuentran en el alcohol, los bizcochos, los refrescos, los bombones, la mermelada, la harina blanca, la fécula de maíz, el flan, las hojuelas de maíz, los pasteles, la jalea, el pan blanco, las pastas, la papa, el arroz blanco, el arroz inflado, el almíbar, el azúcar...

• **Los azúcares de absorción lenta** se encuentran sobre todo en las frutas (plátano), las verduras frescas o secas, las leguminosas (chícharo, haba, frijol, lenteja), los cereales integrales (pan integral de levadura, pan con cereales), las féculas (arroz, pastas)...

Los azúcares naturales de las frutas

Son en general todos lentos, con excepción de las frutas secas y del dátil, que contienen azúcares rápidos. Pero cuando estos últimos se asocian en una misma comida, se comportan como azúcares lentos.

Algunas frutas secas consumidas en el desayuno tienen también un excelente valor nutritivo y evitan el "cansancio repentino" de las 11 horas. Por el contrario, tenga precaución con el puñado de pasitas ingeridas solas a media tarde, ya que no lo van a "mantener" bien por mucho tiempo.

Los azúcares de las verduras y las féculas

Son "lentos", con excepción de la zanahoria y de la papa, que son "falsos lentos", es decir, deben ir asociados con otros alimentos para comportarse verdaderamente como azúcares lentos.

Por lo tanto, tenga cuidado con la zanahoria ingerida en ayunas en el marco de una dieta: es un azúcar rápido con un índice glucémico de ocho (*véase* más adelante), ¡una verdadera catástrofe! Es indispensable que la consuma con una de las comidas.

Intente introducir una fécula en cada comida.

CÓMO APORTAR Y ELEGIR LOS AZÚCARES

La noción de los índices glucémicos

Hoy en día existe un nuevo procedimiento para clasificar los azúcares y, así, poder elegir los buenos. Se trata de medir la amplitud del incremento en la tasa de azúcar en la sangre. Esta medida se llama *índice glucémico*.

Cuanto más alto sea, más azúcar entra rápidamente en la sangre. Cuanto más bajo sea, más tarda su asimilación.

Conclusión: para evitar aumentar de peso y morirse de hambre, más vale escoger azúcares con un índice glucémico bajo.

Índice glucémico

Alimentos corrientes consumidos solos (índice dado en % en orden decreciente, en relación con la glucosa, que sirve de referencia y se sitúa en 100%):
- Glucosa = 100
- Barra de pan blanco = 90
- Zanahoria cruda = 90
- Miel = 87
- *Corn flakes* con pasas = 85
- Papa = 80
- Refresco de cola, pan, arroz blanco = 70
- Plátano = 60
- Espagueti = 50
- Zanahoria cocida = 50
- Frijol, leche, naranja, pastas integrales, manzana = 40
- Alubia o frijol pinto = 35
- Lenteja = 30
- Soya = 15

Contenido de calorías de algunos alimentos comunes a base de azúcares rápidos o lentos

- Un plato de pastas cocidas (200 g) = 280
- Un tazón de arroz cocido (200 g) = 220
- Un tazón de hojuelas de avena (50 g) = 175
- Cinco polvorones = 140
- Una rebanada de pan, mantequilla y mermelada = 120
- Un tazón pequeño de granola (30 g) = 100
- Una rebanada de pan blanco = 65
- Una rebanada de pan integral = 60
- Una crepa = 50

LAS FIBRAS, SALUDABLES COMPONENTES DEL TRÁNSITO INTESTINAL

LA ALIMENTACIÓN MODERNA HA PERDI-DO UNA BUENA PARTE DE NUTRIENTES QUE, SIN EMBARGO, SON ESENCIALES, Y HOY EN DÍA ES EN PARTICULAR RELATIVAMENTE POBRE EN FIBRAS: LOS AFRICANOS CONSU-MEN EN PROMEDIO ALREDEDOR DE 55 G DE FIBRA AL DÍA, MIENTRAS QUE LOS OCCIDEN-TALES NO ABSORBEN NI SIQUIERA LA MITAD (ALREDEDOR DE 22 G), LO QUE NO DEJA DE TENER CONSECUENCIAS PARA LA SALUD.

DEFINICIÓN

Las fibras constituyen un grupo muy variado de sustancias de origen únicamente vegetal, presentes en el intestino.

El hombre no las digiere o absorbe, pero se hinchan con el agua y sufren una fermenta-ción, lo que a la vez produce un aumento del volumen de las heces fecales, así como de la cantidad de gas.

EL INTERÉS POR LAS FIBRAS

Su consumo es muy importante, ya que permiten prevenir la aparición de muchas en-fermedades, como el estreñimiento, el cáncer de colon, los problemas de hemorroides, los cálculos biliares…

Las fibras bajan la tasa de colesterol en la sangre, estabilizan las cifras de la diabetes y previenen en parte la obesidad. Por consi-guiente, su aporte debe ser diario.

DOS TIPOS DE FIBRAS

Las fibras alimenticias se clasifican en función de su consistencia y de su solubilidad.

• **La pectina** es una fibra tierna, soluble, sua-vemente laxante, bien tolerada incluso por intestinos sensibles. Forma en el tubo diges-tivo un gel espeso y viscoso que aglomera

los alimentos, impide o frena la absorción de grasas (colesterol), azúcares y proteínas, así como de los micronutrientes (calcio, hierro, magnesio…), que se eliminan en parte en las heces y deben, por lo tanto, ser compensados mediante la alimentación.

Una alimentación pobre en fibras solubles im-plica una absorción más rápida de los azúcares, lo que provoca los accesos de hambre y los bocadillos a deshoras.

La pectina se encuentra en buena cantidad en las frutas (manzana) y en las verduras (calaba-cita). Otras sustancias forman parte del primer grupo: las gomas, las fibras de algas (alginatos), los glucanos y algunas hemicelulosas (cascarilla de los cereales).

• **La celulosa** y sobre todo la **lignina** son fibras duras. Son insolubles; las bacterias del colon, que no poseen la enzima capaz de atacarlas, las degradan con mayor lentitud. Absorben poca agua, se fermentan menos y son relati-vamente irritantes para el intestino.

La celulosa se encuentra en el salvado de los cereales (más bien la hemicelulosa), en las ver-duras secas, las frutas y las verduras.

Digerimos más fácilmente algunas formas de hemicelulosa de las partes tiernas de las lechu-gas: las plantas jóvenes, menos ricas en lignina que las de mayor edad, son menos irritantes.

La degradación de todas esas fibras termina en la formación de ácidos grasos muy volátiles y, por consiguiente, generadores de inflama-ciones del vientre y dolores abdominales causados por la formación de muchos gases.

Los alimentos ricos en fibras duras deben co-cerse perfectamente.

Asimismo, hay que masticarlos mucho para impregnarlos al máximo de saliva y facilitar de esta manera su digestión.

Alubias al cilantro

Ingredientes para 4 personas
- 80 g de alubias crudas o una lata de 250 g de alubias cocidas
- 2 cebollas
- 2 dientes de ajo
- 1 pimiento
- 2 cucharadas de vinagre aromatizado
- 2 cucharaditas de semillas de cilantro trituradas
- Sal y pimienta

Preparación
Ponga a cocer las alubias de acuerdo con las instrucciones del envase o abra y escurra la lata de alubias ya cocidas.
Mientras tanto, en una olla sofría durante cinco minutos en el aceite de oliva las cebollas peladas y picadas, el ajo machacado, el pimiento pelado, despepitado y cortado en tiras finas.
Escurra las alubias, viértalas en la olla, agregue el vinagre aromatizado, las semillas de cilantro trituradas, salpimiente, mueva y deje cocinar cinco minutos más.
Sirva como acompañamiento para platos de carne y pescado o para complementar un plato a base de cereales.

ALIMENTACIÓN ANTIOXIDANTE

CÓMO APORTAR LA CANTIDAD NECESARIA DE FIBRAS

• Todos los días puede elegir solos o combinados:
- dos cucharadas de salvado,
- cuatro rebanadas de pan integral,
- tres cucharadas de germen de trigo,
- una taza de leguminosas cocidas,
- un barquillo de frambuesas,
- cinco ciruelas pasas cocidas,
- tres dátiles o albaricoques secos, dos frutas frescas, tres verduras.

• Debe asegurarse de beber suficiente agua, ya que las fibras absorben mucha agua.
• Una dieta centrada en carne, huevos, pescado y lácteos es obligatoriamente pobre en fibras.

Cómo aportar el salvado de trigo

- En yogures o compotas.
- Espolvoreado sobre sus verduras crudas, como el germen de trigo y la levadura de cerveza.
- En galletas, terrinas y pasteles, dulces o salados.
- En el pan: elija pan de salvado. Pero cuidado: muchos panaderos agregan salvado a la harina refinada; en cambio, en la mayoría de las tiendas "bio", el pan se elabora con harina de trigo integral.
- Introdúzcalo poco a poco, ya que no siempre es bien tolerado (gases, dolores abdominales...).

Cantidades necesarias para proporcionar 10 g de fibra

- 23 g de salvado de trigo
- 37 g de All-Bran
- 42 g de higos secos
- 115 g de pan integral
- 140 g de alubias
- 145 g de ciruelas pasas
- 160 g de pan de centeno
- 300 g de zanahorias
- 400 g de papas al horno
- 475 g de coliflor
- 500 g de manzanas
- 600 g de plátanos

Precaución: es importante considerar la tolerancia de los intestinos occidentales a estos alimentos.

Proporción de fibra en las frutas y verduras más ricas en ella (en g por cada 100 g)

- Almendra, coco = 15
- Alcachofa = 9.5
- Higo seco = 9
- Albaricoque seco, alubia cocida, dátil, grosella, lenteja = 8
- Frambuesa, ciruela pasa = 7.5

Bizcocho "cuatro cuartos" con ciruelas pasas

Ingredientes para 4 personas
- 150 g de harina de trigo integral (rica en fibras)
- 125 g de ciruelas pasas (ricas en fibras)
- 60 g de margarina de girasol o aceite de oliva
- 60 g de *tofu*
- 80 g de fructuosa
- 3 huevos
- 3 cucharadas de ron (opcional)
- 1/2 sobrecito de levadura
- 1 pizca de sal

Preparación

Precaliente el horno a 180 °C.

Deje marinar las ciruelas pasas en el ron diluido en medio vaso de agua tibia o sólo en agua tibia.

Forme una fuente con la harina. Agregue los huevos, la fructuosa, la margarina ablandada, el *tofu* pasado por la licuadora para obtener una pasta lisa, la levadura y la sal. Mezcle bien hasta obtener una preparación homogénea.

Vacíe esta preparación en un molde de bizcocho rectangular. Debe quedar lleno a tres cuartos de su capacidad. Escurra las ciruelas pasas. Distribúyalas de manera armoniosa en el molde y hornee durante cuarenta minutos aproximadamente.

LOS CEREALES, LA GRAN FUENTE DE AZÚCARES LENTOS

ESTAS SUSTANCIAS, CUYO NOMBRE PROVIENE DEL LATÍN *CERES*, LA DIOSA DE LAS COSECHAS, DESDE LAS ÉPOCAS MÁS LEJANAS HAN REPRESENTADO, EN TODAS LAS CIVILIZACIONES DE TODOS LOS CONTINENTES, LA BASE DE LA ALIMENTACIÓN: EL TRIGO EN OCCIDENTE, EL ARROZ EN EL LEJANO ORIENTE, EL MAÍZ EN AMÉRICA; ESTÁN PRESENTES EN CASI TODAS LAS COMIDAS.

Después de un largo periodo de escasez, los cereales fueron redescubiertos hace algunos años, primero por los adeptos a las "medicinas naturales", después, poco a poco, por un público más amplio.

Existen muchas variedades de cereales cuyos granos se consumen (arroz, avena, cebada, centeno, escanda, mijo, sorgo, trigo, trigo sarraceno…), pero de manera diversa.

LA IMPORTANCIA DE LOS CEREALES PARA LA SALUD

Los cereales integrales presentan una doble ventaja que les ha permitido ese "regreso" a nuestras comidas:

- Están constituidos esencialmente de azúcares lentos, lo que disminuye el contenido de azúcares rápidos, nefastos para la salud.
- Por su efecto de saciedad, reducen la necesidad de ingerir otros alimentos más ricos en grasas, lo que se traduce en un beneficio indirecto nada despreciable.

COMPOSICIÓN

- Contienen en promedio 70% de glúcidos, principalmente de almidón que, debido a su estructura química, se absorben de manera más lenta en la sangre que la glucosa.
- Contienen 10% de proteínas, pero de menor calidad que las de origen animal.

- Contienen pocas grasas (3%), concentradas en el germen.
- Contienen sales minerales, oligoelementos y las vitaminas B y E, pero los procesos de molienda realizados para evitar que se ponga rancia la harina le arrebatan esos elementos indispensables para la salud: ésta es la razón por la cual le recomendamos recurrir a los cereales integrales, que no sufren esta "mutilación" nutricional.

PROPIEDADES

Son interesantes sobre todo por su acción protectora en el colon: constituyen un lastre importante que regula el volumen de las heces fecales y aumenta su función de desintoxicación.

INCONVENIENTES

Los cereales, sobre todo cuando son integrales, a veces resultan difíciles de digerir y a menudo son irritantes para los intestinos sensibles y entonces causan flatulencias e inflamaciones del vientre. Debe introducirlos poco a poco en su alimentación y tener en cuenta las combinaciones.

COMBINACIONES

Los cereales se combinan bien con las hortalizas, tanto verdes como secas, los aceites y las grasas. No se combinan igualmente bien con las proteínas, ya que provocan una disminución de la acidez gástrica, lo que frena la digestión.

- Combine arroz con verduras, como hacen los restaurantes chinos, frijoles pintos, maíz y un poco de carne, como en el chile con carne.
- Mezcle pastas y garbanzos, una combinación calórica pero aceptable, o incluso sémola de trigo y garbanzos, con o sin carne, como

para el cuscús: aporta al organismo los ocho aminoácidos esenciales que éste no puede producir.

- La pasta a la boloñesa es un poco más indigesta. Por el contrario, un plato de pasta *al dente* con una salsa de tomate cocido, algunos dados de queso feta y un chorrito de aceite de oliva es del todo recomendable.

- Embutidos, pastas, carne y queso en una misma comida constituyen un disparate nutricional.

CÓMO ELEGIR LOS CEREALES

Avena

Se vende en las tiendas dietéticas o en los supermercados; se cuece en agua, como el arroz, y se consume natural, acompañada con una cucharadita de mantequilla o con verduras. Con ella también se pueden hacer sopas, cremas o papillas. Uno de sus usos más extendidos, incluso hoy en día, es en hojuelas, cocidas en agua o leche: adóptala en el desayuno, para mitigar la monotonía de las sempiternas rebanadas de pan con mantequilla y miel o mermelada, o el tazón de cereales.

Trigo

Existen dos categorías de trigo: el trigo tierno y el trigo duro. El primero sirve para la fabricación de harina panificable, base de nuestro pan.

Las pastas y la sémola se producen con el trigo duro. Escoja, de preferencia, productos elaborados a partir de trigo integral orgánico.

Inflado, se puede consumir en el desayuno, siempre y cuando lo escoja de preferencia sin azúcar, para evitar "la sobredosis" de azúcares rápidos, y elaborado a partir de trigo integral. El trigo también se cocina en agua, como el arroz. Piense también en el bulgur (trigo quebrado), que ya se encuentra en algunas tiendas. Éstos son alimentos digeribles que se preparan rápidamente y que acompañan muy bien casi cualquier plato.

Maíz

Desde hace muchos decenios, el maíz desgranado acompaña nuestros platos de carne y pescado. En mazorca, se come asado, al natural o con una cucharadita de mantequilla. Con maíz inflado se hacen palomitas, saladas o azucaradas, o incluso hojuelas de cereal (copos, *corn flakes*) que se pueden consumir en el desayuno sin añadir azúcar. Su harina (maíz amarillo) sirve para hacer la famosa polenta.

Rico en vitamina A y las vitaminas del grupo B, el maíz constituye la base de deliciosas ensaladas compuestas. Pero cuidado con abusar de él o mezclarlo con otros alimentos, ya que su índice glucémico (*véase* páginas atrás) es relativamente alto.

Arroz

Al igual que la mayoría de los cereales, contiene muchos glúcidos complejos y proteínas vegetales de buena calidad. También contiene las vitaminas del grupo B, hierro, calcio y, por supuesto, fibras alimenticias.

Lo ideal es preferirlo integral, desprovisto de su cáscara no comestible, pero todavía con su pericarpio, muy rico en proteínas, o semiintegral (arroz moreno, que conserva una parte de su pericarpio) en lugar de blanco, muy rico en glúcidos, pero pobre en vitaminas y en fibras. El arroz se consume cocido en agua, al vapor, pilaf (sofrito en aceite y después recubierto con agua) o inflado: en este último caso, prefiéralo sin azúcar y tómelo en el desayuno con una fruta fresca y un lácteo magro. Otra sugerencia: las galletas de arroz inflado (de venta en los supermercados), deliciosas con una cucharadita de mermelada, para mañanas tónicas.

Mijo

Poco difundido en nuestras regiones, el mijo se hace notar por su sabor delicado, semejante al de la mantequilla y al de la yema de huevo, y la rapidez de su cocimiento. Acompaña de maravilla los platos de verduras, carne o pescado. Lo ideal es elegir mijo integral, de venta en tiendas especializadas.

LAS GRASAS, LA FUENTE DE ÁCIDOS GRASOS "ESENCIALES"

MUCHAS PERSONAS, SOBRE TODO LAS MUJERES, JUZGAN LAS GRASAS COMO EL ENEMIGO PÚBLICO NÚMERO UNO. NO MERECEN UN JUICIO TAN SEVERO, PUES SI BIEN, EFECTIVAMENTE, SON MUY CALÓRICAS Y A VECES PELIGROSAS, ALGUNAS DE ELLAS RESULTAN DEL TODO BENÉFICAS PARA LA SALUD E INCLUSO CONSTITUYEN SUSTANCIAS ESENCIALES PARA EL BUEN FUNCIONAMIENTO DEL ORGANISMO.

Contribuyen en la construcción de estructuras vitales, sirven de reserva energética, forman parte de los mensajes químicos y de las hormonas: la vida sin ellas, por lo tanto, es imposible. Sin embargo, existen, al igual que en el caso de los azúcares, grasas "buenas" y "malas". Notemos, de entrada (más adelante regresaremos a esto), que es totalmente falso considerar que las grasas vegetales son buenas para la salud y que las grasas animales son malas: los aceites de copra y de palma, muy ricos en ácidos grasos saturados, deben prohibirse; en cambio, los pescados llamados "grasos" figuran entre los mejores alimentos sanos.

Elementos muy nutritivos pero plenamente útiles

Las grasas constituyen un elemento importante del organismo, tanto en cantidad como en calidad. Son, es verdad, muy calóricas y deben vigilarse durante una dieta para adelgazar. Desempeñan, de hecho, un papel energético importante, ya que aportan, a pesos iguales, dos veces más calorías que los azúcares o las proteínas: un gramo de grasas equivale a nueve calorías, mientras que un gramo de azúcares o de proteínas equivale a cuatro calorías. Son un material de base destinado a facilitar el almacenamiento de energía en un mínimo de espacio.

Suprimir las grasas constituiría un craso error, ya que ellas aportan una gran parte de los ácidos grasos y vitaminas que el cuerpo necesita para reconstituirse y mantenerse saludable. En particular, constituyen la fuente principal de ácidos grasos esenciales que el organismo no puede sintetizar. Las grasas garantizan, además, la absorción de las vitaminas A, E, D y K, llamadas *liposolubles* (solubles en las grasas), cuya importancia veremos más adelante.

El consumo de grasas

El aporte de grasas es hoy en día demasiado grande en el ámbito mundial, alrededor de 40% de la ración alimenticia (en lugar del 30% aconsejado) y ya no se respetan las proporciones ideales: 25% de ácidos grasos saturados, 50% de ácidos grasos monoinsaturados y 25% de ácidos grasos poliinsaturados. Los entre 60 a 80 g de grasas necesarias diariamente representan ya el equivalente a ocho cucharadas de aceite, pero el consumo promedio es mucho mayor.

Reducir los aportes de grasas, y principalmente de ácidos grasos saturados, con el consumo de frutas, verduras, leguminosas, pan y pescado, entre otros, es una medida muy provechosa para el enfermo cardiaco.

Las grasas ocultas

Representan dos tercios de nuestra ración de grasas, cuando nos afanamos sobre todo en evitar las grasas visibles (mantequilla, aceite…). Forman parte integral de muchos alimentos

Cómo evitar las grasas "malas"

- Aléjese de los productos industrializados: platos ya preparados (gratinados, picadillos, tartas saladas, platos congelados, empanadas de pavo, así como bizcochos, pasteles, pastelillos…).
- Consuma de preferencia pescado y carne magra (pollo sin piel, pavo, conejo…).
- Desgrase sistemáticamente las carnes antes de cada cocimiento.
- Si come fuera de casa, en lugar de comprar un sándwich de atún/verduras crudas/mayonesa en pan blanco, prepare de antemano en casa uno con pan integral/ensalada verde/pepinillos/tomates/atún, o salmón ahumado con una gota de aceite de oliva, o pechuga de pavo/mostaza.
- Reemplace el jamón cocido por rebanadas de pechuga de pavo o de pollo.
- Evite agregar mantequilla o crema a todas sus preparaciones: reemplácelas por leche descremada, leche de soya o incluso crema *light*, reducida a 8% de materias grasas.
- Reemplace en todos los casos la leche entera por leche descremada o de soya; los lácteos enteros por los lácteos descremados.
- Evite freír los alimentos; si excepcionalmente recurre a ello, prefiera el aceite de oliva.

(carne, huevo, leche, oleaginosas, queso…) o se incorporan en la preparación de platos (bizcochos, pastelitos, listos para consumirse…). Muchas de ellas son aportadas por los panes dulces, desde que la modificación de los hábitos alimenticios redujo el consumo de carne.

COLESTEROL

Toda la fisiología humana se basa en la salvaguarda del colesterol, elemento totalmente **indispensable**. Además, durante siglos, la vida consistió en tratar de preservarlo; hoy en día dedicamos nuestro tiempo a tratar de eliminarlo. Ninguna sustancia ha sido objeto de tan mala reputación, salvo quizás el tabaco. Sin embargo, "sólo" es responsable de 1/5 de los accidentes cardiacos, lo que lo coloca muy atrás de los otros "factores de riesgo".

El tratamiento de las cifras elevadas de colesterol es una condición necesaria pero no suficiente para una buena salud; las medidas alimenticias inspiradas en el modelo cretense (aceite de oliva, cereales, frutas, verduras, pescado, un vaso de vino diario…) son por completo indispensables.

¿Colesterol "bueno" y "malo"?

- El bueno es el HDL, que realiza un trabajo de deshollinador eficaz e indispensable, transportando hacia el hígado el colesterol en exceso para que se elimine en forma de ácidos biliares. Tiene la propiedad de que no se deposita en la pared de las arterias.
- El "malo" es el LDL, que ejecuta un trabajo de distribuidor, llevando a los órganos el colesterol producido por el hígado. Cuando está presente en exceso en lo que consumimos, tiende a fijarse en los vasos sanguíneos; esto reduce su diámetro y crea las condiciones propicias para un coágulo.

Las grasas, el colesterol y la mortalidad cardiovascular

En la actualidad, estamos completamente seguros de que existe una relación indiscutible entre las cifras altas de colesterol y la mortalidad coronaria. Pero, al contrario de lo que se imagina, los aportes alimenticios no aumentan en forma importante el colesterol en la sangre, sino el exceso de ácidos grasos saturados (proteínas animales), alcohol y azúcar.

Por consiguiente, pretender eliminar los riesgos cardiovasculares mediante una dieta sin grasas o sin colesterol es excesivo… sobre todo para quienes tienen buena salud.

> La vigilancia del colesterol, cuyos niveles normales están entre 2.2 y 2.6 g por litro, se hace con ayuda de una muestra de sangre para medir tanto las dosis de HDL (normalmente superior a 0.40 g por litro) y de LDL (normalmente inferior a 1.7 g por litro), ya que el pronóstico cardiovascular depende en gran parte de ellas.

El consumo diario promedio de mantequilla (25 g) sólo representa una fracción muy pequeña del aporte de colesterol, mientras que aporta la cuarta parte de la vitamina A: el peligro no es el colesterol de la mantequilla, sino los ácidos grasos saturados. De hecho, una publicidad que vendiera mantequilla sin colesterol despertaría poco interés.

Nos encontramos en un momento crucial del tratamiento de los problemas cardiovasculares. Aun cuando ahora sólo interviene como complemento de los medicamentos destinados a bajar las cifras del colesterol, la opción dietética, inspirada en el modelo cretense y perfeccionada por los antioxidantes, adquiere una dimensión muy novedosa y representa hoy en día casi la base del tratamiento.

ÁCIDOS GRASOS ESENCIALES

El aceite de hígado de bacalao se utiliza de manera empírica desde hace mucho tiempo tanto contra el raquitismo como, por supuesto, contra los problemas de la piel.

Durante la década de 1930 se relacionó la aparición de algunos eczemas con un déficit en ácidos grasos llamados *esenciales*, que en un principio se denominaron *vitaminas F*, porque el organismo no podía producirlas.

El papel de los ácidos grasos esenciales

Intervienen en el equilibrio del sistema nervioso, la calidad de la piel y de las faneras (cabellos, uñas), la regulación hormonal y metabólica (diabetes, colesterol…), la sexualidad, la circulación de la sangre (acción fluidificante gracias a una función de antiagregación sobre las plaquetas).

Las grasas "buenas" y "malas"

Al igual que para los azúcares y el colesterol, esquemáticamente existen ácidos grasos "malos", llamados *saturados*, responsables de muchos problemas de salud, y ácidos grasos "buenos", los *insaturados*, que tienen una acción protectora.

De manera más exacta, las grasas se dividen en cuatro grupos:
- Los ácidos grasos saturados.
- Los ácidos grasos monoinsaturados.
- Los ácidos grasos poliinsaturados omega 6.
- Los ácidos grasos poliinsaturados omega 3.

> Una buena alimentación debe contener:
> - un cuarto de ácidos grasos saturados,
> - la mitad de ácidos grasos monoinsaturados,
> - un cuarto de ácidos grasos poliinsaturados… lo que hace naturalmente la dieta cretense sin que sea necesario efectuar cálculos científicos.

Un equilibrio indispensable

Dos ácidos grasos son esenciales: el ácido linoleico, que encabeza la lista de los omega 6, y el ácido linolénico, que encabeza la lista de los omega 3. Ambos deben estar presentes en cantidad suficiente y equilibrada. El aceite de girasol, que favorece la vía de los omega 6, no debe constituir la fuente exclusiva de aceites. Si es el único o está en exceso, aumenta el riesgo de trombosis vascular. Es bueno… pero en pequeñas cantidades y, sobre todo, combinado con aceites de colza y oliva.

ÁCIDOS GRASOS SATURADOS

Desempeñan una función energética, ya que aportan muchas calorías en poco volumen. Estos ácidos grasos, de origen principalmente animal, pese a su papel aterógeno probado (depósito de placas de ateroma en la pared de los vasos sanguíneos), constituyen una parte importante de la dieta en los países industrializados, pues su consumo representa casi la mitad de las grasas absorbidas.
- Favorecen el sobrepeso y la aparición de la diabetes.
- Aumentan las cifras de colesterol y de triglicéridos.
- Incrementan la frecuencia de las enfermedades cardiovasculares (ateroma, agregación plaquetaria, trombosis…).
- Intervienen en los fenómenos inflamatorios y probablemente en algunos tipos de cáncer (una alimentación rica en grasas saturadas favorece la proliferación y el volumen de los tumores de mama).

De manera general, debemos considerar a las grasas saturadas como enemigas y no admitirlas, ya que favorecen las enfermedades cardiovasculares y algunos tipos de cáncer.

Cómo elegir las fuentes de ácidos grasos saturados

Algunos alimentos ricos en grasas saturadas no deben descartarse por completo de la alimentación, ya que son igualmente ricos en sustancias útiles o indispensables para el organismo.
Se trata de los siguientes:
- La mantequilla (que debe consumirse cruda) y la yema de huevo, que contiene betacaroteno.
- El queso de cabra o de oveja, concentrados en ácidos grasos omega 3.

Las principales fuentes de ácidos grasos saturados que deben evitarse:
- La mantequilla, la crema fresca, las grasas animales (tocino…)
- La mayonesa, las salsas a base de mantequilla
- Los embutidos (paté de cerdo, chicharrones, salchichas, salchichón…)
- Los aceites de cacahuate y de palma
- Las frituras
- Algunos quesos y productos lácteos
- La nuez del coco
- Los pastelitos y los panes dulces, el chocolate, los helados
- Algunas carnes (costillas de cordero, filete, piel de las aves, sesos…)

- Las carnes de res, cordero y cerdo, que contienen también las vitaminas de los grupos B y D, deben, sin embargo, consumirse ocasionalmente debido a su concentración de grasas, pero algunos pedazos son mucho menos grasosos que otros.

Otros alimentos pueden descartarse de la alimentación (o consumirse excepcionalmente por el placer de no prohibirse nada):
- Los embutidos: por regla general son ricos en grasas saturadas, demasiado calóricos y las proteínas que contienen pueden ser aportadas por las carnes magras (conejo, pavo, pollo…).
- Los postres que tienen mantequilla cocida (pasteles, panes dulces) o ácidos grasos *trans* deben descartarse de la alimentación; prefiera los postres a base de frutas.
- Las salsas con mantequilla o a la crema deben reemplazarse por salsas a base de harina o de productos lácteos magros, la mayonesa se elaborará a base de aceite de oliva extra virgen y debe consumirse con moderación, la yema de huevo sigue siendo rica en ácidos grasos saturados y en colesterol.

La mantequilla

Aun cuando tiene defectos, en particular su concentración en ácidos grasos saturados (55%), también posee algunas cualidades: es rica en vitamina A (950 mcg por cada 100 g) y sobre todo en betacaroteno, del cual es una de sus principales fuentes alimenticias. Sería un error prohibir totalmente la mantequilla.

Pero debe consumirse CRUDA, por dos razones muy distintas:
- el betacaroteno se destruye durante la cocción,
- la mantequilla es muy indigesta cuando está cocida.

La margarina

Considerada en otro tiempo como el arquetipo de los "productos para la salud", no tiene mayor interés que el hecho de aportar un poco de vitamina A (pero tres veces menos que la mantequilla) y un poco de vitamina E.

Si tiene usted problemas de colesterol, elija de preferencia las pastas de untar ricas en fitosteroles o en omega 3. Busque en su localidad las marcas de margarinas enriquecidas con estos productos.

ÁCIDOS GRASOS MONOINSATURADOS (AGMI)

A diferencia de los ácidos grasos saturados, los ácidos grasos monoinsaturados tienen una acción importante sobre la salud:
- Intervienen de manera benéfica en el metabolismo del colesterol.
- Ayudan a la vesícula a deshacerse del exceso de colesterol.
- Protegen contra las enfermedades cardiovasculares.

A la cabeza de estos ácidos se encuentra el ácido oleico, cuya fuente principal es el aceite de oliva, también se encuentra en los aceites de colza y de cacahuate, el aguacate, la almendra, la avellana, las aves, el encurtido de pato y de ganso, el *foie gras*, la nuez de Macadamia e incluso el cerdo.

Cómo aportar los AGMI

- Reemplace el cocimiento en mantequilla por el cocimiento en aceite de oliva, a temperatura baja.
- Sazone sus verduras crudas con aceite de oliva o de colza.
- Reemplace las frituras en manteca vegetal o en aceite de palma por frituras en aceite de oliva, como en Creta y en la mayoría de los países mediterráneos; sin embargo, tenga cuidado de limitar el consumo de alimentos fritos a dos veces por semana.
- Rehabilite al aguacate, con una salsa vinagreta o en trocitos en una ensalada mixta.
- Elabore recetas a base de cerdo magro, salteado en aceite de oliva, con verduras pequeñas salpicadas con avellanas asadas y almendras fileteadas.
- Por la mañana, consuma las proteínas necesarias para su organismo en forma de una rebanada de jamón desgrasado o de pechuga de pavo.
- En el restaurante, coma un encurtido de ganso o de pato.
- Saboree, si llega el caso, *foie gras*... de vez en cuando.

ÁCIDOS GRASOS POLIINSATURADOS (AGPI)

Son los más importantes, ya que dos de ellos son esenciales:
- el ácido linoleico, que se encuentra principalmente en algunos aceites vegetales (germen de trigo, girasol, semillas de uva, soya...), forma parte de los omega 6;
- el ácido linolénico, que se halla sobre todo en los aceites de pescados grasos y algunos aceites vegetales (colza, germen de trigo, nuez, soya...), forma parte de los omega 3.

El exceso de omega 6 es tóxico en el plano cardiovascular y favorece la aparición de algunos tipos de cáncer, mientras que los omega 3 protegen el corazón y mejoran la circulación.

El papel de los AGPI

Desempeñan un papel fundamental en la construcción y el funcionamiento de las células, de cuya membrana constituyen una gran parte; también aseguran su impermeabilidad y sus intercambios con el exterior y las células vecinas. Son el eslabón débil, el blanco que atacan los radicales libres durante el "estrés oxidante".

- Intervienen en el metabolismo de las grasas, disminuyendo las cifras de colesterol y de triglicéridos y mejorando favorablemente la proporción entre el buen colesterol (HDL) y el malo (LDL).
- Estimulan las defensas del organismo.
- Nutren la piel, dándole un mejor aspecto y reparando el tejido.
- Ayudan a las células nerviosas, fabricando la lecitina y la mielina, vaina aislante de la fibra nerviosa.
- Mejoran el aprendizaje y la memoria, y participan en la calidad de la visión.
- Previenen, por último, las enfermedades cardiovasculares y el cáncer, lo que les merece figurar en un muy buen lugar entre los "alimentos para la salud".

Las principales fuentes de ácidos grasos poliinsaturados

• Los ácidos grasos poliinsaturados omega 6 se encuentran en los aceites (de cacahuate, colza, maíz, nuez, semillas de uvas, soya +, girasol ++), los gérmenes de cereales (trigo), las semillas de ajonjolí y girasol...

• Los ácidos grasos poliinsaturados omega 3 se encuentran sobre todo en los pescados grasos (anguila, arenque, atún, boquerón, caballa, rodaballo, salmón, sardina, trucha), así como en las semillas de linaza y el germen de trigo, los aceites (de colza, germen de trigo, linaza, nuez, soya), los quesos de oveja o de cabra, las leguminosas (soya), las semillas de linaza y de calabaza, las oleaginosas (avellana, nuez), algunas verduras (col, verdolaga...).

Cómo concebir un día tipo sin muchos aportes de grasa

- Ponga atención al conjunto de grasas saturadas: embutidos, quesos, lácteos, pastelitos, carnes grasas (oveja, cordero, cerdo).
- Cuide un aporte suficiente de omega 3.
- Utilice sobre todo los aceites de oliva y de colza, agregando de vez en cuando aceite de girasol o algún otro aceite vegetal de su elección.
- Para sus frituras, imite a los cretenses: utilice aceite de oliva.
- Coma un poco de mantequilla cruda y sáltese la mantequilla cocida, que es indigesta y ya no contiene betacaroteno.
- Recurra a las pastas de untar enriquecidas con omega 3 u omega 6 en lugar de la margarina.
- Prefiera la leche totalmente descremada o reemplácela por leche de soya de vez en cuando.
- Elija quesos de oveja o de cabra.
- Coma pescados grasos tres veces por semana (arenque, atún, boquerón, caballa, espadín, salmón, sardina...). En el restaurante, escoja un pescado sin salsa en lugar de carne.
- Dése gusto sin sentir culpa con una rebanada de *foie gras* de vez en cuando.

Los pescados de mares fríos pueden nadar y vivir en aguas casi glaciales porque su carne está constituida principalmente de ácidos grasos poliinsaturados muy fluidos, incluso a bajas temperaturas.

EL ACEITE, UN "ALIMENTO PARA LA SALUD" AL QUE HAY QUE REHABILITAR

DESPUÉS DE QUE LO HICIERON A UN LADO POR SU RIQUEZA CALÓRICA, EL ACEITE O, MÁS EXACTAMENTE, LOS ACEITES HAN REGRESADO CON FUERZA GRACIAS A SUS CUALIDADES NO SÓLO NUTRICIONALES SINO TAMBIÉN TERAPÉUTICAS.

LOS ACEITES

Los aceites vegetales son en efecto numerosos y muy diferentes los unos de los otros: la semilla de origen y el modo de fabricación implican grandes variaciones en su composición, utilización e importancia.

Los cuatros "grandes" —los aceites de cacahuate, maíz, oliva y girasol— monopolizan 80% del mercado.

El aceite no debe suprimirse por completo de la alimentación en ningún caso: dos a tres cucharadas, más o menos, representan una dosis promedio benéfica.

Los diferentes aceites

- Un aceite virgen, extraído en frío por procedimientos mecánicos, no ha sufrido ningún tratamiento de refinación, se clarifica a través de medios físicos (papel o tela de algodón).
- La primera presión consiste en triturar y exprimir mecánicamente la semilla.
- La primera presión en frío tiene lugar a baja temperatura, el aceite no sufre ninguna otra transformación (en particular no se centrifuga).
- Los aceites que contienen más de 2% de ácido alfalinolénico reciben el nombre de *aceite para aliño*. Los aceites que contienen menos de 2% se denominan *aceite para fritura y para aliño*.

Algunas recomendaciones indispensables a propósito de las grasas

- Tenga cuidado con los alimentos grasos, ya que a menudo son tóxicos para la línea y los vasos sanguíneos.
- Prefiera en general las grasas crudas a las grasas cocidas.
- Evite (salvo en ocasiones excepcionales) los alimentos fritos y los platos en salsa; prefiera los cocimientos en papillote.
- Tenga cuidado con la combinación de grasas y azúcares rápidos: desconfíe, por ejemplo, de los helados y pastelitos. Prefiera los sorbetes o las compotas de fruta.
- Utilice mezclas de aceite, sobre todo de oliva y colza.
- No caliente demasiado las grasas de cocción, ya que se modifican liberando cuerpo tóxicos o cancerígenos. La parte ennegrecida de las carnes y pescados cocidos en asador es en particular tóxica.
- Invierta en cacerolas y ollas antiadherentes, a fin de evitar la mano pesada para la materia grasa.

CARACTERÍSTICAS DE LOS ACEITES

Todos los aceites tienen propiedades nutricionales diferentes, pero el mismo valor calórico:
- están en esencia (99%) compuestos de triglicéridos;
- contienen en total 100% de grasas, no hay un aceite más "ligero" que otro;
- contienen pocos minerales;

- contienen las vitaminas liposolubles (A, D, E y K) y los ácidos grasos esenciales;
- no contienen ni proteínas ni azúcares;
- ninguno de ellos contiene las proporciones ideales de los diferentes ácidos grasos, lo que impone la necesidad de hacer mezclas;
- cuanto más insaturado es un aceite, más frágil es, menos se conserva y más caro resulta…

LA ELECCIÓN DE LOS ACEITES

Los aceites vírgenes de primera presión en frío son preferibles, siempre que sean de origen "bio", ya que en ese caso sólo contienen ácidos grasos de buena calidad nutritiva y están exentos de cualquier sustancia química producida o agregada durante la fabricación.
Presentan tres inconvenientes:
- son mucho más caros,
- no se deben calentar,
- hay que conservarlos en frío y al abrigo de la luz para que no se pongan rancios. Sin embargo, de esta manera ofrecen lo mejor de sus beneficios y de sus sabores.

ALGUNOS CONSEJOS PARA ELEGIR EL ACEITE

- Dé preferencia a los aceites de primera presión en frío. Verifique bien en la etiqueta las menciones "primera presión en frío" o "extra virgen".
- Escoja una botella oscura que lo proteja de la oxidación.
- Es posible conservar el aceite de oliva fuera del refrigerador, siempre y cuando sea en una habitación fresca y oscura.
- No guarde durante mucho tiempo una botella empezada, compre a la medida de sus necesidades. Si consume poco aceite, compre botellas pequeñas en vidrio oscuro.
- El aceite de germen de trigo es el más rico en vitamina E.
- Deseche el aceite si huele rancio: esto sucede muy rápidamente con el aceite de nuez.
- Evite cocer los aceites, con excepción del de oliva y el de colza, que pueden utilizarse a fuego lento sin dejarlos humear.

- El aceite de linaza está teóricamente prohibido para su venta en algunos países. Se pueden aprovechar los efectos protectores del aceite de linaza machacando en un mortero granos de linaza frescos (de venta en las tiendas dietéticas).

LAS PROTEÍNAS, "ALIMENTOS PARA LA SALUD" TOTALMENTE INDISPENSABLES

REPRESENTAN UNO DE LOS ELEMENTOS BÁSICOS DEL ORGANISMO Y CUMPLEN MUCHAS FUNCIONES POR COMPLETO INDISPENSABLES.

EL PAPEL DE LAS PROTEÍNAS

- Desempeñan un papel plástico, componen la trama que sirve para construir y renovar las células de nuestros tejidos y de nuestros órganos.
- Participan en la transmisión del flujo nervioso y de muchos mensajes químicos; los anticuerpos, las enzimas, las hormonas, los neuromediadores… son moléculas de proteínas muy complejas.
- De hecho, es imposible sobrevivir mucho tiempo sin consumir proteínas, ya que, propiamente hablando, no se almacenan: además, la mitad de las proteínas del organismo se renuevan cada 90 días.

Algunas equivalencias útiles

100 g de carne
= 100 g de pescado
= 3 huevos
= 1/2 litro de leche
= 80 g de queso gruyer

Los siguientes alimentos pueden aportar 60 g de proteínas

- 3 kg de papas
- 1.2 kg de arroz integral
- 330 g de queso camembert
- 300 g de frijoles pintos
- 300 g de sardinas enlatadas
- 250 g de atún enlatado
- 180 g de soya…

UNA CADENA DE AMINOÁCIDOS

Los aminoácidos son los constituyentes fundamentales de todas las proteínas. Se presentan en forma de largas cadenas, en las que cada uno de sus anillos es precisamente un aminoácido. Su orden en la sucesión le da su especificidad a cada proteína.

Los aminoácidos deciden primero el código genético de cada uno de nosotros y luego participan en forma permanente en todas las funciones bioquímicas del organismo.

Son indispensables para el hombre, el organismo no puede sintetizarlos y, por consiguiente, deben aportarse regularmente mediante la alimentación.

Una ración de leche descremada, queso, carne o huevos debe estar presente necesariamente todos los días en su mesa.

LAS FUENTES DE PROTEÍNAS

- De origen **animal**: se encuentran en los embutidos, el queso, la leche, los huevos, el pescado, la carne…
- De origen **vegetal**: provienen, sobre todo, de cereales, leguminosas (chícharos, habas, frijoles, lentejas) y de las oleaginosas (almendras, avellanas, nueces, pistaches…).

CONTENIDOS RECOMENDADOS

Son de un gramo por día y por kilo de peso corporal y deben representar alrededor de 15% del total de calorías.

Un adulto de 60 kilos debe, por lo tanto, absorber obligatoriamente 60 g de proteínas por día, que aportarán, por ejemplo, 200 g de carne o pescado.

Aunque las deficiencias cuantitativas no son habituales en los países occidentales, se producen por lo regular deficiencias cualitativas, en particular de aminoácidos.

EFECTOS DE UNA ALIMENTACIÓN CON DEFICIENCIA DE PROTEÍNAS

Si la alimentación es muy pobre en proteínas, aparecen signos de deficiencia: se pierde masa muscular, disminuyen las facultades físicas e intelectuales, el crecimiento puede frenarse o detenerse, los cabellos y las uñas adquieren un aspecto opaco, se vuelven quebradizos y se caen con facilidad, la vista es menos aguda, una fragilidad en los ligamentos provoca torceduras, puede aparecer una descalcificación, ocurren infecciones repetidas…

EFECTOS DE UNA ALIMENTACIÓN DEMASIADO RICA EN PROTEÍNAS

No hacen falta grandes cantidades de proteínas para que el organismo se conserve en buena salud: de hecho, el organismo es incapaz de almacenarlas y eliminarlas provoca un aumento inútil de trabajo del hígado y los riñones.

Si se consumen en exceso, las proteínas o bien se destruyen o bien se convierten en grasas en circuitos metabólicos "costosos", lo que finalmente tiene los inconvenientes de producir colesterol y aumentar el ácido úrico.

Por consiguiente, es necesario escogerlas bien y aprender a no abusar de ellas.

COMBINACIONES IDEALES

Los alimentos proteicos se combinan bien con los ricos en minerales, por ejemplo, las verduras.

Carne o huevos o pescado y ensalada o verduras es una combinación perfecta.

Carne o huevos o pescado y papas o espagueti no lo es.

CÓMO OPTIMIZAR LOS APORTES DE PROTEÍNAS

- Coma proteínas dos veces al día: su cuerpo necesita un gramo de proteínas diario por kilo de masa corporal.
- Varíe las proteínas que consume: pescado, mariscos, crustáceos, carne magra, huevos, así como productos lácteos (magros de preferencia), queso de cabra y de oveja, cereales y verduras, en particular soya, al igual que *tofu* ("queso" de soya) y *tonyu* ("leche" de soya).
- Evite comer mucha carne, no la convierta en el alimento básico alrededor del cual gire toda su comida.
- Suprima por completo las carnes más grasas (cordero, cerdo…).
- Prefiera, por el contrario, los pescados llamados "grasos": anguila, arenque, atún, caballa, rodaballo, salmón, sardina…
- Tenga cuidado con las dietas estrictamente vegetarianas, ya que provocan deficiencias.

Vegetarianismo y vegetalismo

La alimentación vegetariana se define por la exclusión de cualquier alimento proveniente de la carne animal. El vegetalismo, aún más estricto, sólo autoriza el consumo de productos vegetales. Estos dos tipos de alimentación se exponen a deficiencias de proteínas.

Un régimen vegetariano estricto en el niño entraña deficiencias de vitaminas, oligoelementos y minerales con consecuencias rápidas en el desarrollo psicomotor, en particular retardos en el crecimiento.

Ningún estudio ha llegado a confirmar, por el momento, los efectos benéficos específicos de la alimentación vegetariana para la salud, pero esa opción de vida, que muy a menudo se acompaña con una mejor higiene (ejercicio físico, nada de alcohol ni de tabaco…), tendría una influencia positiva.

CUATRO GRANDES FUENTES DE PROTEÍNAS, UNA PRESENCIA CONSTANTE EN SU ALIMENTACIÓN

LA LECHE Y LOS LÁCTEOS

Un interés desigual en el adulto

Representan una clase importante de alimentos en términos de cantidades consumidas, pero no tienen valor antioxidante. Son una fuente modesta de magnesio y de oligoelementos, aportan sobre todo vitamina A, un poco de vitaminas D y E. Por el contrario, son ricas en vitaminas B1, B2, B5 y B12 y contienen sobre todo mucho calcio. Son alimentos esenciales… para el niño.

LA LECHE

Un alimento indispensable… para el niño

No puede pretender formar parte de "dietas para la salud" y no figura, además, en la dieta cretense. El hombre es el único "animal", junto con el gato, que sigue bebiendo leche después de haber sido destetado. Este alimento, indispensable para el crecimiento del niño, merece ser reemplazado por quesos y yogures magros en el adulto.

EL YOGUR

Un alimento fácil de digerir

Según su definición estricta, es el producto de la fermentación de la leche por una bacteria, el *lactobacillus bulgaricus*. Contiene las vitaminas B1, B2, B3, B9 y calcio, que se absorbe mucho mejor que el de la leche. Un yogur entero aporta alrededor de 70 calorías, un yogur magro, alrededor de 40 calorías. Es preferible el yogur fabricado a partir de leche de oveja, ya que contiene ácido alfalinolénico, cuya función benéfica para la salud ya se comentó.

El consumo de un yogur diario parece una buena recomendación: le aconsejamos tomarlo de preferencia en el desayuno o a la hora de una colación.

LOS QUESOS

Una fuente interesante de proteínas

Son alimentos ricos en grasas, proteínas, calorías, colesterol, sal y calcio. A diferencia de la leche y los lácteos, forman parte de la dieta cretense.

Le aconsejamos sin duda que los coma, pero no más de una vez al día.

Aportes de vitamina A (por cada 100 g comestibles)

- Mantequilla = 1000 mcg
- Crema fresca = 300 mcg
- Leche entera pasteurizada = 40 mcg
- Yogur natural de leche entera = 30 mcg
- Yogur natural descremado = 10 mcg
- Leche descremada = 0

Un queso del que se habla mucho, el feta

Se fabrica a menudo a partir de leche de oveja, aunque también existe feta de cabra o de vaca. Es parte integral de la dieta mediterránea, de la cual constituye uno de sus elementos importantes. Se utiliza mucho en las ensaladas griegas, perfectas desde el punto de vista nutricional. Para evitar su único inconveniente, puede dejarlo desalar en agua durante uno o dos días.

Composición para cada 100 g

Menos calórico que los demás quesos de cabra, el feta aporta 260 calorías, 20 g de grasa (de buena calidad), 17 g de proteínas y 1 g de azúcar. Contiene 500 mg de calcio, potasio y sal, que constituye su principal defecto. Aporta las vitaminas A (200 mcg), E (0.5 mg) y las del grupo B.

Sopa fría de yogur y pepino

Ingredientes para 4 personas
- 2 pepinos
- 1 cebolla
- 2 dientes de ajo
- 2 tomates
- 1 manojo de perejil
- Algunas hojas de menta fresca
- 6 yogures búlgaros (equivalentes a 750 g)
- 1 pizca de pimienta de Cayena
- 1 pizca de cilantro
- 1 pizca de comino en polvo
- Sal y pimienta

Preparación

Lave y pele los pepinos, córtelos en dados. Pele y pique finamente la cebolla.
Ponga a desflemar los pepinos durante media hora espolvoreándolos con sal. Enjuáguelos, mézclelos con la cebolla picada, lave los tomates, córtelos en dados y agréguelos a la preparación, así como el ajo pelado y machacado. Vierta los yogures en un recipiente, agregue el perejil y la menta lavados, secados y picados. Reserve algunas hojas de menta para la decoración. Sazone con sal y pimienta, agregue la pimienta de Cayena, el cilantro y el comino en polvo.
Póngalo en el refrigerador por lo menos una hora, decore con hojas de menta y perejil picado y sirva.

Cómo elegir y optimizar los aportes de queso

- Puede comerlos, por supuesto, pero no más de una vez al día.
- Los quesos bajos en calorías son menos sabrosos que los quesos auténticos; además, tenemos tendencia a comerlos más. Es mejor darse un verdadero gusto comiendo un pedacito de Cabecou o de Rouelle Blanche (tipos de queso de cabra) en vez de un mal queso bajo en calorías.
- Escójalos de preferencia de oveja o de cabra.
- Procure no combinar carne y queso en la misma comida.
- Piense en incorporar queso a sus platos: ensalada con queso feta, gratinado, tostadas de queso de cabra…
- Nunca agregue mantequilla al pan que acompaña al roquefort o al camembert.

LA CARNE

Una fuente de proteínas irreemplazable

Ocupa desde siempre un lugar fundamental en la alimentación.

El hombre de las cavernas cazaba para procurarse carne: la agricultura apareció mucho más tarde, con el sedentarismo.

Sucesos recientes ("terneras con hormonas", "vacas locas", "pollos con dioxina"…) que han afectado las diferentes variedades de carnes provocaron un relativo rechazo del público.

Fuera de estos "accidentes" de la industria agroalimentaria, la carne es un "alimento para la salud" irreemplazable, una fuente formidable de proteínas de alto valor biológico, así como puede ser nefasta para la salud.

Es necesario que conozca bien las características de cada tipo de carne y que respete algunas reglas de selección y utilización para aprovechar plenamente este alimento, llamémoslo así, **indispensable**.

Propiedades generales

Posee numerosas cualidades:
- es rica en proteínas y, en particular, en aminoácidos esenciales;
- es energética, buscada por los deportistas y quienes realizan trabajo físico;
- es muy rica en hierro y en vitamina B12, que ayuda a absorber el hierro;
- constituye una de las principales fuentes de selenio y de zinc;
- no contiene azúcares.

Así como tiene muchos defectos:
- algunas partes son demasiado calóricas;
- es rica en grasas saturadas;
- contiene mucho colesterol;
- su cocimiento a altas temperaturas libera compuestos cancerígenos (benzopirenos…).

El riesgo de cáncer de colon parece aumentar con el consumo de carne; también crece el riesgo de enfermedades cardiovasculares con el consumo de carnes, sobre todo grasas.

Usted puede y debe comer carne, pero no más de cuatro veces por semana… si la escoge magra.

Hay que hacer notar que, con el progreso de la ganadería, la carne es en general menos grasosa que antaño.

La carne de conejo es nutritiva, sabrosa y ligera, así que hay que redescubrirla.

El bisonte y el avestruz, que son más comunes en nuestros platos desde hace algunos años, también son carnes magras, ricas en proteínas de buen valor nutricional.

Pollo con mango

Ingredientes para 4 personas

- 1 pollo cortado en trozos
- 2 mangos
- 1 lata chica de piña (ananá) en almíbar
- 1 cebolla
- 1 pimiento verde
- 1 pimiento rojo
- 1 cebolla
- 1 cucharadita de páprika en polvo
- 2 cucharadas de almendras fileteadas
- 2 cucharadas de salsa de soya
- 1 cucharada de aceite de oliva extra virgen
- Sal y pimienta

Preparación

Pele y pique la cebolla. Lave los pimientos, quíteles las semillas y córtelos en dados.
En una olla grande, dore en aceite de oliva los trozos de pollo por todos sus lados durante diez minutos. Agregue la cebolla picada, los dados de pimiento y los trozos de piña escurridos (guarde un poco del almíbar). En un recipiente, mezcle el almíbar de la piña y la salsa de soya. Agregue la páprika y revuelva. Vierta esta salsa sobre el pollo. Salpimiente, deje cocer a fuego lento durante diez minutos. Durante ese tiempo, pele el mango y córtelo en cubos. En una sartén con recubrimiento antiadherente, tueste las almendras fileteadas. Tres minutos antes de servir, agregue los pedazos de mango, mueva suavemente. Acomode sobre una fuente y sirva, espolvoree con almendras tostadas.

Valor calórico de algunas porciones (en calorías por cada 100 g de alimento)

- Costillar de cerdo = 300
- Hamburguesa con pan y carne cocida = 250
- Silla de cordero = 230
- Chuleta y espinazo de cerdo, chuleta de cerdo con hueso = 210
- Filete de res asado, bistec de carne molida con 15% de materia grasa = 200
- Solomillo de res asado = 170
- Bistec asado, rosbif = 150
- Cocido de res = 140
- Bistec de carne molida con 5% de materia grasa, pato, pollo = 130
- Lomo de cerdo magro = 110
- Escalopa de pavo = 100

Cómo escoger y preparar la carne

- Las escalopas de pollo y de pavo son las carnes más magras, junto con el hígado y los riñones (poco apreciados en nuestros días). Prepare recetas variadas con pollo y pavo:
- Pollo asado, relleno con dientes de ajo y cebolla.
- Pollo a la cazuela con finas hierbas, con tomate, al vino tinto, con piña…
- Salteado de pavo o pollo con champiñones, con germen de soya, al limón, a la naranja, con calabacitas… ¡El poder está en la imaginación!
- La carne de res debe estar desgrasada y ser cocinada en sartén con recubrimiento antiadherente.
- El cerdo magro, bien desgrasado, puede cocinarse como el filete de pavo o de pollo.

LOS EMBUTIDOS

Muy ricos en grasas saturadas
Siempre han ocupado y siguen ocupando un lugar importante en la alimentación. Sobre todo se hacen de cerdo, pero no en forma exclusiva, lo que explica que haya gran disparidad entre ellos.

Siempre y cuando se escojan bien, algunos incluso llegan a considerarse buenos "alimentos para la salud":
- sin duda son ricos en calorías, así como en proteínas y hierro;
- suelen ser menos grasosos desde hace algunos años;
- son ricos en ácidos grasos monoinsaturados (50%), lo que es bueno, aunque también lo son en ácidos grasos saturados (40%), lo que no es tan bueno;
- contienen alrededor de 10% de grasas poliinsaturadas;
- en general, son ricos en sal.

Los embutidos, siempre y cuando no se consuman acompañados de grandes cantidades de mantequilla, en realidad no contribuyen mucho a las cifras de colesterol.

Para consumirse con moderación…
- Recurra al jamón blanco desgrasado o cocido con el hueso dos veces por semana, en lugar de jamón crudo, más grasoso y más salado: dos rebanadas de jamón desgrasado aportan alrededor de 150 calorías de buen interés nutricional.
- Coma una ración de morcilla cada quince días, ya que es rica en hierro bien absorbido, pero por desgracia también en calorías (*véase* cuadro).
- Puede darse un gusto con un poco de *foie gras*.

Valor calórico de algunos embutidos (en calorías por cada 100 g de alimento)

- Chorizo = 500
- *Foie gras*, salami = 450
- Chicharrones = 430
- Salchicha seca = 420
- Chipolata o salchicha de Toulouse = 340
- Morcilla negra, mortadela, salchichón al ajo = 320
- Lonjas de tocino, *merguez* (salchicha de cordero picante), salchichas tipo Francfort o Estrasburgo = 300
- Jamón seco = 230
- Jamón cocido = 140
- Tocino = 130
- Jamón desgrasado = 110

Contenido de proteínas de los alimentos de origen animal

(en orden decreciente en g por cada 100 g)
- Carne cocida, queso gruyer = 30
- Chuleta de cerdo, queso de cabra seco = 28
- Queso camembert, pato asado, caviar, hígado de aves de corral, bistec de carne picada cocida con 10% de materia grasa = 25
- Filete de res = 24
- Conejo, salchicha, salmón, atún = 20
- Pescado magro = 10
- Huevo = 6
- Queso fresco de cabra = 5

Cómo escoger carnes y embutidos

- En general, disminuya el consumo de carne y embutidos, sin suprimirlos.
- Tenga cuidado en particular con el cordero y el cerdo.
- Prefiera pavo, conejo y pollo.
- Consuma carne de res y aves de corral dos veces por semana, jamón magro una vez por semana, hígado una vez al mes, morcilla negra dos veces al mes.
- Evite el tocino, los embutidos grasos y la manteca de cerdo.
- Acostumbre reemplazar un plato de carne (grasa) por un plato de pescado (graso) o de mariscos.
- Para disminuir el consumo de carne, prepárese platos pequeños cocinados a fuego lento (con caldo de verduras o con salsa de soya) con muchas verduras: ajo, berenjena, calabacita, cebolla, pimiento, tomate... Son deliciosos y calman el hambre.
- Piense en carnes marinadas con especies y hierbas aromáticas, tiernas y sabrosas.
- Las carnes asadas se prepararán sin materias grasas.

EL HUEVO

Una riqueza extrema en minerales y vitaminas

Este alimento ha ocupado siempre un lugar importante en todas las civilizaciones, ya que es fácil de encontrar, agradable de comer y barato.

Desde la antigüedad se considera símbolo de fertilidad, lo que es normal, ya que contiene todos los elementos necesarios para la vida. Se asocia con muchos cultos paganos o religiosos; recordemos simplemente los huevos de pascua, que señalan el regreso de la fecundidad después del invierno.

Su reputación ha sufrido en los países occidentales por su riqueza en colesterol, pero merece ser utilizado con mayor frecuencia de manera más racional, ya que sus cualidades nutricionales son asombrosas.

Junto con la leche, el pescado y la carne, es una de las mejores fuentes de proteínas.

Siempre hay que tener en cuenta la disponibilidad de proteínas absorbidas

30 g de proteínas de huevo = 30 g de proteínas utilizables

30 g de lentejas = 14 g de proteínas utilizables

30 g de arroz solo = 21 g de proteínas utilizables

30 g de una combinación de arroz y lentejas = 28 g de proteínas utilizables

El consumo de cinco huevos por semana parece una "recomendación para la salud" sensata y benéfica.

Algunos consejos para aprovechar plenamente el huevo

- Escoja de preferencia huevos de gallina criada al aire libre con grano, ya que su calidad nutricional lo refleja.
- Elija huevos "extra frescos", que nunca tengan más de 3 semanas desde su puesta.
- Consérvelos en el frigorífico con la punta hacia abajo.
- Nunca rebase la fecha límite de consumo.
- Jamás los consuma si están resquebrajados o rotos.
- Deséchelos si despiden el más mínimo olor dudoso.

Algunas cifras

- Se producen 850 mil millones de huevos cada año en el mundo.

- México es el primer productor de huevo de América Latina y el quinto del mundo, con 151 millones de aves ponedoras y una producción de 1 925 300 toneladas de huevo.

- El consumo promedio en México es de 305 huevos por habitante por año.

- El huevo cubre 1/7 de las necesidades diarias de hierro; las vitaminas (A, B y D), relativamente abundantes, están presentes sobre todo en la yema.

Omelette de cebolla

Ingredientes para 4 personas

- 8 huevos
- 2 cebollas
- 2 echalotes
- 2 dientes de ajo
- 1 manojo de perejil
- 1 manojo de cebollines
- 1 cucharada de aceite de oliva extra virgen
- 1/2 cucharadita de canela en polvo
- Sal y pimienta

Preparación

Pele y pique las cebollas y los echalotes. Pele y machaque el ajo.
En una sartén, sofría las cebollas y los echalotes en el aceite de oliva hasta que se pongan transparentes. Agregue el ajo machacado, salpimiente.
Lave y pique el perejil y los cebollines. Añádalos a la preparación anterior, así como la canela.
Bata los huevos para *omelette*. Viértalos en la sartén sobre las verduras, deje cocer a su gusto.

Huevos revueltos con cangrejo

Ingredientes para 4 personas
- 8 huevos
- 100 g de carne de cangrejo en lata
- 2 cucharadas de salsa de soya
- 2 echalotes
- 1 diente de ajo
- 1 cucharadita de aceite de oliva extra virgen
- Sal y pimienta

Preparación
Pele el ajo y los echalotes; píquelos finamente.
Sofría los echalotes y el ajo por un minuto en una sartén con el aceite de oliva.
Agregue el cangrejo desmenuzado bien escurrido, sofría hasta que esté ligeramente dorado.
Vierta la salsa de soya.
Agregue los huevos enteros en la sartén.
Deje cocer tres minutos, moviendo constantemente y cuidando que la preparación no se oscurezca.
Retire del fuego y sirva bien caliente.

EL PESCADO

Un alimento rico en micronutrientes esenciales

Alimento fundamental para el hombre desde la prehistoria, pero durante mucho tiempo menos respetado que la carne, se considera como el alimento de los pobres, el plato de la cuaresma.

Su aspecto, su palidez y su olor actúan contra él, al contrario que la carne, rica, apetitosa y con un bello color rojo, sinónimo de fuerza.

El pescado es también más difícil de preparar, tiene espinas, huele fuerte cuando se cocina. Los esfuerzos que se hacen en su presentación para volverlo más atractivo y el descubrimiento de sus "beneficios para la salud" han caracterizado su renacimiento lógico y merecido.

Composición

Es menos calórico que la carne:

- Los pescados magros (bacalao fresco, lenguado, merluza, raya...) aportan alrededor de 100 calorías por cada 100 g, mientras que una carne magra aporta aproximadamente 160 calorías.

- Los pescados más grasosos apenas llegan a 200 calorías, mientras que algunas carnes grasas pueden alcanzar hasta 350 o incluso 500 calorías (costillar de cerdo...).

Así, el pescado más graso es menos grasoso que una carne común: hay que lamentar el término "pescados grasos", que sugieren lo contrario, pero que debe traducirse como "ricos en ácidos grasos benéficos" para la salud.

El pescado, sobre todo el magro, se digiere con facilidad, no "llena", por lo que a veces da la impresión de que no es suficientemente nutritivo.

Las proteínas del pescado son de excelente calidad, de alto valor biológico equivalente a las de la carne, lo que todos los estudios comprueban. El pescado contiene dos veces menos colesterol que la carne y nada de azúcares. A diferencia de las aves de corral, la grasa está repartida en el interior de la carne y no concentrada en la piel. El pescado contiene vitamina A, algo de vitamina C, con excepción del salmón, algo de vitamina E, salvo el atún. Aporta las vitaminas B6 y B12, en tanto que la carne aporta sobre todo B1, B2 y B5.

Su riqueza en fósforo lo ha convertido en el alimento de los periodos de examen y de dificultades de memorización, aunque no exista ninguna prueba al respecto. Proporciona un poco de hierro (un mg en promedio por cada 100 g), pero mucho menos que la carne.

- Los pescados más ricos en proteínas son el atún rojo (27 g por cada 100 g) y la caballa.

- Casi todos los pescados comunes (abadejo ahumado, bacalao fresco, carpa, dorada, lenguado, lucio, merluza, pescadilla, pez gallo, raya, robalo) contienen menos de 2% de materias grasas, los pescados semigrasos (mújol, pez espada, rodaballo, salmonete) entre 2 y 6%, los pescados grasos (anguila, arenque, atún, boquerón, caballa, espadín, salmón, sardina...) más de 6% pero menos de 15%, mientras que la mayor parte de las carnes contienen entre 10 y 20% de materias grasas.

- Los pescados de mares fríos (atún, arenque, caballa, salmón, sardina...) contienen muchos ácidos grasos omega 3, la referencia absoluta hoy en día en materia de protección. La concentración de esas grasas benéficas es mucho más fuerte cuando el pescado es más viejo y de mayor tamaño, así que téngalo en cuenta cuando vaya a la pescadería.

El pescado más rico en omega 3 es la caballa, seguida del arenque, el boquerón, la sardina, la sardina del Mediterráneo y el salmonete. Es dos veces más rico que el salmón y el rodaballo.

El calamar, el camarón, la langosta y los mariscos de caparazón también son ricos en omega 3.

Propiedades

El consumo de pescado aumenta los ácidos grasos omega 3, lo que resulta importante para los cardiacos y en la prevención de algunos tipos de cáncer, así como para algunos pacientes ya afectados de metástasis.

El consumo cotidiano de aceite de pescado disminuye en 40% las cifras de triglicéridos y en 10% las de colesterol. Estos aceites se deterioran con el aire, lo que obliga a que con frecuencia se presenten en forma de cápsulas de medicamentos.

Los pescados grasos, e incluso la sardina en conserva en aceite de oliva extra virgen, son alimentos clave de la "dieta para la salud".

Aportes recomendados

Una dosis de 30 g al día parece ser la óptima en materia de protección, lo que significa alrededor de 200 g a la semana, el equivalente a dos raciones medianas. En dosis mayores no parece haber un efecto protector complementario.

Conservación

Todas las presentaciones son en general buenas: fresco, al natural, en conserva, congelado…
- Un pescado congelado pierde, además de su consistencia, una parte de su vitamina A.
- La conserva disminuye los contenidos de vitaminas A y B.

El problema de los residuos químicos

Las zonas de pesca en ocasiones están contaminadas por diversos productos químicos. Tome algunas precauciones tan sólo para evitar o limitar su toxicidad.
- Los pescados más grasos acumulan más mercurio, porque viven más tiempo. Elija de preferencia los más pequeños (arenque, sardinas).
- Los pescados de río, por desgracia, con mucha frecuencia están en contacto con sustancias contaminantes vertidas por las industrias. Si no tiene usted la seguridad de su proveniencia y de la limpieza del curso de agua, prefiera pescados de mar.
- Los pescados que viven en desembocaduras de ríos tienen más riesgos que otros de contaminarse. Prefiera pescados de alta mar.

Preparación del pescado

- Cómprelos de preferencia frescos en filetes o congelados.
- Déjelos marinar en limón y aceite.
- Cuézalos algunos minutos al vapor o déjelos escalfar de 10 a 15 minutos en un caldo corto con el fuego apagado.
- Evite los cocimientos a temperaturas muy altas, por ejemplo en papillote (papel de aluminio) que desnaturalizan sus notorias propiedades nutricionales.
- Los sushis están de moda. Consúmalos sin moderación. Para los que rechazan la idea de comer pescado crudo, sepan que existen sushis cocidos. Este tipo de plato no soporta la mediocridad, elija expendios de comida y restaurantes de prestigio o confecciónelos usted mismo utilizando pescados de extrema frescura.

Frescura del pescado

El pescado no se conserva tan bien como la carne debido a sus ácidos grasos insaturados que se oxidan y se ponen rancios, dándole ese olor de amoniaco característico y desagradable.

Un pescado que no esté muy fresco a menudo es responsable de manifestaciones alérgicas: el atún y la caballa, en particular, pueden liberar grandes cantidades de histamina.

Salmón con pimientos

Ingredientes para 4 personas
- 800 g de postas de salmón
- 1 pimiento verde
- 1 pimiento rojo
- 2 limones orgánicos
- 1 cucharadita de aceite de oliva extra virgen
- Sal y pimienta

Preparación
Corte el salmón en dados grandes.

Lave y retire las semillas de los pimientos. Córtelos en dados.

Rebane uno de los limones en rodajas delgadas. Corte el otro en cuartos, resérvelo para la decoración.

En una sartén, sofría en el aceite de oliva el salmón, el limón en rebanadas y los dados de pimiento durante cinco minutos, moviendo constantemente. Tape y deje cocer a fuego lento otros cinco minutos.

Vierta todo en una fuente. Decore con los cuartos de limón, sirva en seguida.

LOS PESCADOS GRASOS

Alimentos "obligatorios"

Los pescados grasos, prohibidos durante mucho tiempo a los cardiacos, en la actualidad forman parte de todas las dietas de prevención cardiovascular.

Clasificación

- Pescados semigrasos en orden creciente = trucha, sardina, salmonete, boquerón, salmón ahumado.
- Pescados grasos en orden creciente = caballa, atún, salmón fresco, arenque, anguila.

Aportes en grasas

-100 g de anguila = 8 a 20 g de grasas
-100 g de atún o caballa en conserva = 13 g de grasas
-100 g de boquerón = 9 g de grasas

EL BOQUERÓN

Pescado de alta mar medianamente graso pero muy rico en ácidos grasos poliinsaturados.

Muy pocas veces se consume fresco, y con frecuencia aparece conservado en salmuera, al natural, en aceite o transformado (en mantequilla, crema…), en estos casos, se conoce más con el nombre de "anchoa".

Su carne tiene mucho sabor y se digiere fácilmente.

Composición por cada 100 g

En filete con aceite de oliva, aporta 160 calorías, 10 g de grasas y 20 g de proteínas.

Junto con la anguila y el atún, es uno de los pescados más ricos en vitamina A (200 mg). Contiene mucho hierro, potasio y magnesio. Aporta un poco de vitamina E y gran cantidad de vitaminas B3 y B9.

Los cardiacos y los hipertensos deben comerlo con cuidado por su riqueza en sal.

Preparación

En muchas recetas meridionales se combina a menudo con aceite de oliva, ajo y perejil, buenos protectores cardiacos los tres.

LA ANGUILA

Pescado, o mejor dicho serpiente de mar o de agua dulce, cuya longitud llega a alcanzar un metro; su peso varía entre uno y seis kilos. Es el más rico y el más graso de todos los pescados, lo que explica que no se digiera tan bien.

Composición por cada 100 g

Cocido en el horno, aporta 230 calorías, 24 g de proteínas y 15 g de grasas. Es rico en ácido oleico, muy rico en vitamina A (1 mg). Junto con el boquerón y el atún, es uno de los tres pescados que contienen más cantidad de esta vitamina. Es rico en potasio, menos rico en calcio, hierro y magnesio. Es relativamente rico en zinc y muy rico en vitamina E. La anguila ahumada, más grasosa aún que la anguila fresca, es muy difícil de digerir. La anguila es un pescado graso y calórico, pero muy rico en elementos antioxidantes (vitaminas A y E, y zinc).

EL ARENQUE

Pescado graso de mares fríos. Rara vez se consume fresco, con frecuencia se conserva salado, en vinagre o ahumado.

Composición por cada 100 g

En forma de arenque en escabeche con vinagre aporta 240 calorías, 15 g de grasas, sobre todo monoinsaturadas, y 16 g de proteínas.

Contiene algo de colesterol, algo de hierro y mucha sal y vitamina E.

El arenque es uno de los pescados más grasos y más calóricos… pero menos que la carne. Es muy rico en ácidos grasos poliinsaturados, en particular omega 3, muy protectores.

Además, es barato.

Presentaciones

- Marinado en vinagre, extendido, es el arenque del Báltico.
- Marinado en vinagre, enrollado, es el arenque en escabeche, menos salado que el anterior.
- Salado y ahumado en frío, es el arenque ahumado.
- Salado y ahumado en caliente, es el llamado *buckling*.

Atún con champiñones

Ingredientes para 4 personas
- 800 g de postas de atún
- 30 g de champiñones cultivados
- 200 g de hojas de col china
- 2 ramitas de apio
- 1 echalote
- 1 diente de ajo
- 2 cucharadas de salsa de soya
- 2 cucharadas de vinagre aromatizado con echalote
- 1 cucharada de aceite de oliva extra virgen
- Sal y pimienta

Preparación

Lave y pele los champiñones, córtelos en láminas. Pase las rodajas de atún por agua fría, escúrralas sobre papel absorbente. Córtelas en trozos de 2.5 cm de lado aproximadamente. En un recipiente, mezcle la salsa de soya, el vinagre aromatizado y el aceite de oliva extra virgen. Sazone con pimienta y deje marinar en el frigorífico.

Lave las hojas de col. Córtelas en rajas. Lave las ramas de apio. Córtelas en bastoncitos de tres centímetros de largo. Pele el ajo y el echalote. Pique finamente el echalote y machaque el ajo. En una sartén, sofría el atún en aceite de oliva durante tres a cinco minutos, cuidando que se dore por todos sus lados. Agregue la marinada, el echalote y el ajo, luego los champiñones y la col cortada en rajas, mueva, deje cocinar durante cinco minutos. Sazone con sal si es necesario. Sirva en seguida.

Precaución

La salazón y el ahumado aumentan la concentración del arenque en proteínas y grasas, lo que lo hace menos digerible y plantea un problema a los cardiacos e hipertensos.

Además, está contraindicado para los que padecen gota, ya que contiene muchas purinas.

LA CABALLA

Pescado graso de agua de mar de color gris azulado, mide de 20 a 30 cm de largo. No goza de una excelente "imagen", aunque posee cualidades nutricionales indiscutibles que empiezan a ser reconocidas.

Composición por cada 100 g

En forma de filete al vino blanco, aporta alrededor de 200 calorías, 16 g de proteínas y 16 g de grasas, lo que hace que sacie rápidamente.

Pero es mucho menos graso que el atún en aceite. Sus grasas son en parte ácidos grasos poliinsaturados, principalmente omega 3, esenciales para la buena salud cardiovascular. Aporta, entre otros, colesterol y hierro. Contiene algo de vitamina A y de vitaminas B.

La caballa en conserva posee casi la totalidad de sus cualidades nutricionales: una lata por semana puede formar parte de su "dieta para la salud".

LA SARDINA

La sardina vive muy cerca de las costas en grandes cardúmenes. Mide alrededor de 25 cm y se pesca sobre todo en primavera y verano, cuando se aproxima más a las costas para desovar.

Se han redescubierto sus propiedades nutricionales gracias a estudios científicos recientes de los ácidos grasos: la sardina es, de hecho, uno de los pilares de la dieta mediterránea.

Composición por cada 100 g

Aporta de 130 a 260 calorías según si es fresca o está conservada en aceite.

Contiene de 5 a 15 g de grasas, pero la misma cantidad de proteínas (20 g).

Es rica en ácidos grasos poliinsaturados (20 a 30%) y sobre todo en el tan preciado omega 3.

Por último, constituye un alimento poco calórico, pero que sacia, ya que una ración cocida aporta alrededor de 200 calorías.

En forma de conserva, es dos veces más rica en colesterol (70 g) que el atún. Posee un alto valor biológico y aporta algo de hierro y calcio, concentrados en las espinas. Contiene betacaroteno y las vitaminas D y E.

La sardina forma parte integral de los "alimentos para la salud", aun cuando se consuma en conserva.

Preparación

- Asada: su único inconveniente es el olor que deja en la casa y alrededores.
- En escabeche: bañada en una salsa de tomate picante y condimentada con ajo.
- Marinada con aceite de oliva, perejil, ajo, limón… todos ellos "alimentos para la salud".
- En conserva: con aceite de oliva, por supuesto, para aumentar diez veces sus beneficios cardioprotectores.

150 g de sardina cubren 100% de los aportes proteicos diarios recomendados y los requerimientos en vitaminas D y E.

Ejotes con boquerones

Ingredientes para 4 personas
- 800 g de ejotes frescos o congelados
- 8 filetes de boquerones cocidos, frescos o en conserva
- 1 diente de ajo
- 1 cebolla
- 1 manojo chico de perejil
- 1 ramita de tomillo
- 1 cucharada de aceite de oliva extra virgen
- Sal y pimienta

Preparación
Ponga a cocer los ejotes en una olla con mucha agua salada. Escúrralos.
Pique finamente los boquerones, el ajo, la cebolla y el perejil. Sofría todo en una sartén con aceite de oliva.
Agregue los ejotes, sazone con sal y pimienta, mueva, deje cocer cinco minutos y sirva.

Anguila con aceitunas negras

Ingredientes para 4 personas
- 800 g de anguila
- 12 aceitunas negras deshuesadas
- 1 cebolla
- 1 cucharada de aceite de oliva extra virgen
- 4 tomates
- 1 rama de tomillo
- Algunas hojas de laurel
- 1 manojo de perejil
- 2 dientes de ajo
- 1 vaso de vino tinto
- Sal y pimienta

Preparación
Pele y pique la cebolla. Lave los tomates, córtelos en cubitos. Pele y machaque el ajo. Lave y seque el perejil, píquelo finamente.
En una cacerola, sofría la cebolla en aceite de oliva hasta que se ponga transparente. Corte en troncos la anguila preparada por su pescadero, échelos en la cacerola, mueva, deje cocinar cinco minutos y agregue los cubos de tomate, el tomillo, el laurel, el perejil y el ajo machacado. Bañe con el vino tinto.
Tape y deje cocinar aproximadamente treinta minutos. Cinco minutos antes de servir, agregue las aceitunas deshuesadas (descarozadas). Acomode en una fuente, espolvoree con el perejil picado. Sirva.

Ensalada de arenque con manzanas

Ingredientes para 4 personas
- 300 g de filetes de arenque ahumado
- 1/4 de litro de leche
- 2 manzanas
- 2 ramas de apio
- 1 yogur búlgaro magro
- 1 limón orgánico
- 4 cucharadas de vino blanco seco
- Sal y pimienta

Preparación
Acomode los filetes de arenque en un recipiente hondo y vierta la leche encima para desalarlos. Colóquelos en el refrigerador algunas horas. Ponga a hervir el vino blanco para que se evapore el alcohol. En un recipiente, bata el yogur, el jugo de limón y el vino blanco enfriado. Salpimiente. Lave cuidadosamente las manzanas, córtelas en rebanadas sin pelarlas. Lave y monde las ramas de apio, córtelas en rebanadas. Enjuague los filetes de arenque, retire con cuidado el exceso de humedad, colóquelos sobre una fuente con las rebanadas de manzana y los trozos de apio en todo el rededor. Cubra con la salsa y sirva de inmediato.

Brochetas de caballa a la páprika

Ingredientes para 4 personas
- 600 g de caballa fresca
- 300 g de champiñones cultivados
- 250 g de *tofu*
- 1 pimiento rojo
- 1 pimiento verde
- 4 tomates
- 4 cebollas
- 2 dientes de ajo
- 1 rama de tomillo
- 1 rama de albahaca
- 1 cucharadita de páprika
- Sal y pimienta

Preparación
Lave y pele los champiñones, córtelos en rebanadas. Lave y despepite los pimientos, córtelos en cubos. Pele las cebollas y lave los tomates. Córtelos en cuartos. Pase los filetes de caballa por agua fría, séquelos cuidadosamente con un trapo limpio.
Engrase con aceite las brochetas. Ensarte en ellas las verduras, la caballa cortada en dados grandes y el *tofu*. Espolvoree con el tomillo y la albahaca picados y con la páprika.
Déjelos cocer de diez a quince minutos en el horno caliente (termostato 8) en posición de asador.

Tarta de sardinas

Ingredientes para 4 personas
- 1 rollo de pasta hojaldrada
- 5 tomates
- 500 g de sardinas frescas
- 125 g de *tofu*
- 3 huevos
- 1 vaso de leche de soya
- 2 dientes de ajo
- Tomillo
- Aceite de oliva extra virgen
- Sal y pimienta

Preparación

Lave los tomates, córtelos en dados. Sofríalos en una sartén con aceite de oliva, junto con el tomillo y el ajo picado, salpimiente ligeramente. Vierta esta preparación en un recipiente. Bata el *tofu*, la leche de soya y los huevos con un poco de sal y pimienta. Vierta esta preparación en el recipiente con el tomate, el tomillo y el ajo. Extienda la pasta en el molde. Distribuya el contenido del recipiente en la pasta. Corte las sardinas sin escamas en filetes. Colóquelas en forma de rosetón sobre la tarta, luego cocine en una rejilla en el horno caliente (200 °C) alrededor de 20 minutos.

Sardinas al cilantro

Ingredientes para 4 personas
- 8 sardinas
- 200 g de calabacitas
- 2 dientes de ajo
- 1 limón orgánico
- 1 rama de tomillo
- 2 cucharadas de aceite de oliva extra virgen
- 2 cucharaditas de cilantro
- 2 cucharaditas de pimentón dulce en polvo
- 3 cucharadas de harina
- Sal y pimienta

Preparación

Pídale a su pescadero que prepare las sardinas o hágalo usted mismo: lávelas, córteles la cabeza, séquelas con cuidado. Córtelas en dos, quite el espinazo central, pase los pedazos por harina, reserve en un plato. Lave y pele las calabacitas. Córtelas en rodajas. Sofríalas en una olla grande con aceite de oliva, junto con el tomillo, durante quince minutos. Salpimiente, tape, deje cocinar cinco minutos más. En una sartén, dore las sardinas dos minutos por lado en aceite de oliva. Agregue el ajo machacado, el cilantro, el pimentón dulce y el jugo de limón. Deje cocinar un minuto más por lado. Coloque en una fuente, con las calabacitas alrededor, sirva en seguida.

EL SALMÓN

Pescado graso, primero de río y luego de mar, de carne rosada, se consume fresco o ahumado. Desova en los ríos, donde los alevines viven dos años antes de llegar a los mares fríos: de hecho, el salmón desova y muere en el río donde nació; muchas películas han glorificado este misterio de los orígenes.

Casi todos los salmones que en la actualidad se consumen son de criadero, bien cebados en grandes depósitos, lejos del mar. Es posible, sin embargo, obtener pescados de alta mar, más sabrosos, pero más caros.

La rastreabilidad y los registros hoy en día permiten elegir con pleno conocimiento de causa.

La congelación modifica poco el sabor y la consistencia del salmón, lo que resulta muy apreciado y ha contribuido a su éxito.

Composición por cada 100 g

Cocido al vapor, aporta alrededor de 150 calorías, 17 g de proteínas y 9 g de grasas. Sacia con mucha rapidez.

Su riqueza en ácidos grasos poliinsaturados y, muy particularmente, en omega 3 (EPA y DHA), lo hacen uno de los pilares actuales de la "dieta para la salud". Contiene algo de vitamina E y de vitaminas B.

Es un poco salado, relativamente pobre en calcio pero rico en potasio y magnesio.

El salmón ahumado concentra los principales constituyentes: es más rico en proteínas (21 g) y en grasas (11 g) y, sobre todo, sin duda más salado (1.2 g). ¡Y, por último, se consume a menudo con blinis a la crema o en rebanadas de pan con mantequilla!

El salmón, considerado como un alimento graso y calórico, en realidad no lo es más que un bistec común y corriente.

Una precaución

Se aconseja a los grandes consumidores de salmón ahumado que recorten el borde fino de la rebanada, de color más intenso, y no lo consuman, porque ahí se concentran sustancias tóxicas liberadas durante el ahumado.

Conservación y modos de preparación

El aceite que contiene es lo que le proporciona su color rojo anaranjado. Debe tener una apariencia fresca y húmeda, los ojos brillantes, la carne firme, las agallas rojas, las escamas brillantes y no debe despedir ningún olor desagradable. Como todos los pescados, es preferible consumirlo el mismo día que lo compre. Sin embargo, lo puede conservar vacío y lavado cuarenta y ocho horas en el refrigerador en un recipiente cerrado herméticamente.

Los modos de preparación son muchos, lo que explica su popularidad: crudo, marinado con eneldo, en salsa tártara, asado, al horno, ahumado, en conserva... todos son buenos.

EL ESPADÍN

Pescado pequeño de mares fríos, parecido al arenque o a la sardina. Se consume ahumado o marinado, es sabroso al gusto.

Composición por cada 100 g

Aporta 170 calorías, 20 g de proteínas, 9 g de grasas, sobre todo de omega 3, y nada de azúcar. Contiene las vitaminas A, D y E, calcio, hierro y magnesio.

EL ATÚN

Poderoso pescado de alta mar recubierto de una piel azulada, de flancos grisáceos y vientre blanco. Existen muchas variedades, que se distinguen por el color de su carne: el atún blanco, con sus variedades: bonito (muy fino y sabroso) o albacora del Atlántico; el atún rojo, mucho más grande, de alrededor de 200-300 k, pero menos sabroso que el atún pequeño o bonito de dorso rayado.

Composición por cada 100 g

Aporta 190 calorías, 8 g de grasas y 30 g de proteínas. Junto con la anguila, es el pescado que contiene más calorías, así que tenga **precaución** con eso. Aporta un poco de vitaminas A y E, y también de las vitaminas B (sobre todo B3 y B9). Es rico en ácidos grasos poliinsaturados y sobre todo en omega 3. Ya sea fresco o en conserva, contiene colesterol y hierro.

Terrina de salmón con albahaca

Ingredientes para 4 personas
- 500 g de salmón
- 3 huevos
- 800 g de tomates
- 2 echalotes
- 2 dientes de ajo
- 1 manojo de albahaca
- 1 limón (el jugo)
- Sal y pimienta

Preparación
Precaliente el horno a 200 °C. Ponga a cocer el salmón al vapor durante 12 minutos o en caldo corto durante 20 minutos. Quítele la piel y las espinas, páselo por la licuadora. Agregue el jugo de limón a la preparación, mezcle sin licuar.
Pele los echalotes, píquelos en trozos grandes. Pele y machaque el ajo. Sofría los echalotes en una sartén con un poco de aceite de oliva. Agregue el ajo machacado, después los tomates lavados y cortados en dados. Deje cocer un tiempo largo a fuego medio para reducir la salsa. Agregue esta preparación al salmón picado.
Incorpore los huevos batidos y la albahaca picada para obtener una pasta homogénea.
Vierta en un molde antiadherente, cubra con una hoja de papel aluminio y ponga a cocer en baño María durante una hora en el horno caliente. Deje enfriar antes de ponerlo en el refrigerador durante una hora más o menos. Sirva frío, en rebanadas, sobre una cama de verduras, acompañado de una salsa de tomate con ajo y decore con ramitos de albahaca frescos.

Gratinado de espadín con papas

Ingredientes para 4 personas
- 1 docena de filetes de espadín en tarro
- 1 kg de papas
- 3 cebollas
- 1/4 de litro de leche descremada
- 1/2 cucharadita de nuez moscada rallada
- Sal y pimienta

Preparación

Precaliente el horno a 200 °C. Enjuague los filetes de espadín, séquelos con cuidado. Lave y pele las papas, córtelas en rebanadas finas. Pele las cebollas y córtelas en rebanadas. Engrase con aceite un recipiente para gratinado, coloque alternando una capa de papas, una de cebollas y una de espadín. Termine con una capa de papas. Salpimiente. Espolvoree con nuez moscada rallada; bañe con la leche descremada. Deje cocer durante treinta a cuarenta y cinco minutos en el horno caliente (puede agregar un poco de leche descremada durante el cocimiento si el gratinado se reseca).

Atún al jengibre

Ingredientes para 4 personas
- 600 g de filetes de atún
- 200 g de coliflor
- 2 papas
- 2 cebollas
- 2 dientes de ajo
- 2 cucharaditas de jengibre rallado
- 1/2 cucharadita de pimienta de Cayena
- 1 cucharada de curry
- 1 pimiento rojo
- 2 vasos grandes de consomé de verduras
- 1 yogur búlgaro
- 2 limones
- Sal y pimienta

Preparación

Corte los filetes de atún en trozos de aproximadamente cinco centímetros de lado. Exprima los limones, vierta el jugo sobre los dados de atún, espolvoree con el curry. Pele las cebollas, píquelas en trozos grandes. Despepite el pimiento y córtelo en rajas de aproximadamente un centímetro de ancho por tres centímetros de largo. Lave la coliflor, córtela en ramitos, y en cubitos las papas peladas. En una cacerola, dore las cebollas cinco minutos en aceite de oliva, agregue el ajo pelado y machacado, el jengibre, la pimienta de Cayena, el pimiento, la coliflor y las papas. Incorpore los trozos de atún, dórelos por todos sus lados, vierta los dos vasos grandes de consomé de verduras, deje cocer a fuego lento durante quince minutos, agregue el yogur búlgaro, caliente dos minutos más y sirva.

El atún forma parte de las "recomendaciones para la salud", aun cuando es muy calórico.

Presentación

En conserva:

- El atún al natural tiene una composición similar a la del atún fresco, con un poco más de sal.
- El atún en aceite es más rico en calorías (el doble), que se convierten en 20 g de grasas y, además, contiene mucha sal (360 mg).
- El atún en conserva contiene dos veces más grasas saturadas, por lo que resulta preferible el atún fresco.

Inconvenientes

Su carne envejece mal, así que a veces provoca reacciones alérgicas.

LA TRUCHA

Es un pescado de agua dulce, considerado como magro o semigraso. Parecido al salmón, es muy sano, vive en aguas rápidas y claras, detecta y huye ante el menor rastro de contaminación. Su carne es muy digerible.

Composición por cada 100 g

Aporta entre 110 y 150 calorías según si es salvaje o cebada en criadero. Contiene alrededor de 20 g de proteínas y entre 2 y 7 g de grasas. Es menos rica en ácidos grasos poliinsaturados y desde luego en omega 3 que los pescados de mares fríos, pero aun así contiene cantidades importantes (alrededor de 40%). Aporta algo de vitaminas A y E y las vitaminas B1, B2, B3, B6 y D.

La trucha es muy digerible, incluso para los bebés.

Preparación

- A la molinera, estofada, acompañada de almendras fileteadas, congelada…
- Ahumada, puede reemplazar al salmón, ya que es menos grasa y menos salada.

UN "DÍA PARA LA SALUD" TIPO

Desayuno

- Un tazón grande de té verde o de té negro, o de leche descremada o de soya con una cucharadita de cacao magro, o una taza de café si es incapaz de prescindir de él, con una media cucharada de fructuosa si necesita el sabor dulce.
- Un lácteo magro a elegir (si no tomó leche descremada) o un pedazo de queso de cabra o de oveja, o una rebanada pequeña de jamón, de pechuga de pavo o un huevo.
- Una buena rebanada de pan integral, de centeno, escanda o salvado, o un tazón grande de cereales sin azúcar agregada, o también hojuelas de cereal (avena, soya…) cocidas en agua o en leche descremada.
- Una fruta fresca o un jugo de fruta fresca.
- Algunas oleaginosas.

Comida

- Un plato grande de verduras crudas, sazonadas con aceite de oliva y de colza y germen de trigo con jugo de limón orgánico, ajo, cebollines y perejil.
- Una ración de carne magra (conejo, pavo, pollo…) o de pescado graso, cocinado en un poco de materia grasa.
- Un tazón pequeño de alguna fécula: cereales, leguminosas integrales, o una buena rebanada de pan integral.
- Una fruta fresca.
- Un vasito de buen vino tinto.

Merienda (opcional)

- Un tazón de té verde y un lácteo magro.

Cena

- Un buen plato de sopa de verduras mixtas o una sopa de pescado.
- Un tazón pequeño de alguna fécula.
- Una ración pequeña de pescado o de mariscos (si tomó la sopa de verduras), o un huevo (si no lo comió por la mañana).
- Una ensalada verde o de tomates con aceite de oliva y de colza, con ajo, jugo de limón, a veces un poco de aceite de girasol, germen de trigo, perejil y cebollín.
- Una ración de queso de cabra o de oveja.
- Una fruta fresca.
- Un vasito de buen vino tinto.

Los modos de cocción de las carnes y pescados

Son sumamente importantes, pues a veces añaden riesgos a los alimentos. Se ha comprobado la presencia de productos de degradación peligrosos en muchas fuentes alimenticias (carnes, pescados fritos o asados…); estas sustancias llegan a provocar tumores en ratas de laboratorio.

- No deje que humeen los aceites de la cocción y utilice de preferencia aceite de oliva extra virgen (que es posible cocer a fuego suave).
- Prefiera el baño María a la cocción en agua o al vapor, incluso en wok.
- Prefiera el asador vertical, evite el asador horizontal, ya que los alimentos que se cuecen se encuentran dentro de las "flamas grasosas", llenas de benzopirenos.
- Evite siempre el contacto de la flama con el alimento.
- No deje que se carbonicen las carnes y los pescados, no consuma las partes quemadas.
- Aparte los jugos de cocción de las carnes: la cocción en el horno altera tanto como veinte cocciones en aceite a 220 °C.
- Las baterías de cocina con material antiadherente son muy prácticas, porque permiten cocinar sin materias grasas. También prefiera los moldes de pastel, tarta, terrina, etc., de este tipo.

Lo esperado y los prejuicios

Las cualidades esperadas de un alimento merecen enumerarse, ya que explican en gran parte algunos hábitos y comportamientos.

El alimento no debe ser dañino para la persona que lo consume, debe aportar al organismo lo que necesita para desarrollarse, funcionar y conservarse con buena salud, formar parte del ambiente cultural, procurarle placer a quien lo consume, ser accesible económicamente y transmitir en lo posible una imagen positiva.

El profesor Rozin nos ofrece una confirmación brillante de los prejuicios que rodean a la alimentación a través de un estudio muy sencillo realizado con estudiantes estadounidenses de una universidad. Les preguntó qué alimento, además del agua dulce, les permitiría sobrevivir seis meses en una isla desierta. Podían elegir entre plátanos, chocolate con leche, espinacas, germen de alfalfa (cereal revitalizante), duraznos y salchichas tipo Estrasburgo. Ninguno respondió, por supuesto, que chocolate y salchichas, que, sin embargo, son los que ofrecen las mejores oportunidades para sobrevivir.

No elegimos nuestros alimentos al azar, deben adecuarse a nuestra personalidad y a lo que se espera o se cree de ellos, lo que explica que sea tan difícil imponer un cambio brusco en los hábitos… que es, sin embargo, lo que le estamos pidiendo.

Trucha marinada

Ingredientes para 4 personas
- 4 truchas
- 2 cucharadas de harina integral de trigo
- 2 cucharadas de aceite de oliva extra virgen
- 3 dientes de ajo
- Unas hojas de laurel
- 2 vasos de vinagre de vino aromatizado con echalote
- 1 vaso de consomé de verduras
- 1 limón orgánico
- 1 cebolla
- Sal y pimienta

Preparación
Limpie las truchas, lávelas, séquelas y córtelas en trozos.
Enharínelas y dórelas en una sartén con aceite de oliva.
Salpimiente, agregue las hojas de laurel y el ajo machacado, después vierta el vinagre de vino y el consomé de verduras.
Deje que suelte el hervor de cinco a diez minutos, luego coloque en un recipiente hondo.
Bañe con la salsa a base de vinagre.
Agregue algunas rodajas de limón y de cebolla, tape, coloque en el refrigerador durante tres días. Sirva como entrada.

83

los micro-
nutrientes

LOS RECURSOS ANTIOXIDANTES, EL MEDIO PREVENTIVO Y CURATIVO

En esta etapa de la obra

• Debe usted suprimir:
- la leche entera,
- los embutidos muy grasos (chicharrones, patés, salchichas…),
- las carnes muy grasas (cordero, cerdo) e incluso la res cortada en chuletas o filete,
- las frituras,
- los refrescos.

• Debe disminuir:
- la cantidad total de calorías,
- la azúcar visible u "oculta",
- los alimentos refinados,
- la cantidad total de grasas absorbidas.

• Debe preferir:
- una proteína, pero una sola en cada comida,
- las grasas mono y poliinsaturadas (sobre todo omega 3),
- la combinación de aceite de oliva y aceite de colza (una cucharada de cada uno diariamente para el total de sus aliños),
- los alimentos *light*,
- las féculas y los azúcares lentos,
- los alimentos ricos en fibras,
- los pescados "grasos" (tres veces por semana),
- los huevos (cinco por semana).

FRENTE A "AGRESORES" TAN ORGANIZADOS Y PELIGROSOS COMO LOS RADICALES LIBRES, LA NATURALEZA NOS HA DOTADO DE MUCHOS SISTEMAS DE DEFENSA PARA CAPTURARLOS O NEUTRALIZARLOS DESDE SU FORMACIÓN.

LAS VITAMINAS Y LOS OLIGOELEMENTOS CON ACTIVIDAD ANTIOXIDANTE

Las vitaminas y los oligoelementos desempeñan en particular un papel fundamental en esta etapa esencial para la conservación de la salud.

Tres vitaminas (A, C y E) y dos minerales (selenio y zinc) intervienen, en efecto, de una manera rápida y a menudo determinante.

Por lo tanto, es **indispensable** asegurar su presencia, así como la de muchos cofactores (azufre, cobre, magnesio, manganeso), en primer lugar, mediante una "alimentación para la salud" variada, y después, a menudo, con complementos.

LAS VITAMINAS, ELEMENTOS INDISPENSABLES PARA LA VIDA

LAS VITAMINAS SON, EN EFECTO, SUSTAN-CIAS INDISPENSABLES PARA ALGUNAS FUNCIONES ESENCIALES DEL ORGANISMO. EL TÉRMINO SURGIÓ EN 1911, CUANDO SE AISLÓ LA PRIMERA AMINA, CUYA FUNCIÓN FUE RECONOCIDA COMO VITAL (ÉSTA ES LA ETIMOLOGÍA DE *VITAMINA*).

UNA UTILIZACIÓN MUY SUPERADA

Muchos trabajos, algunos galardonados premios Nobel, descubrieron los factores responsables de algunas "enfermedades de deficiencia", luego sintetizaron las vitaminas antes de que las investigaciones más recientes propusieran una utilización diferente de ellas. Hoy en día estamos seguros de que los aportes de vitaminas A, C y E en dosis superiores a las cantidades alimenticias recomendadas por los científicos pueden contribuir a prevenir el surgimiento de enfermedades cardiovasculares, impedir la aparición de algunos tipos de cáncer o mejorar su pronóstico y retardar fenómenos ineludibles como el envejecimiento.

Por consiguiente, en la actualidad suelen utilizarse en forma más amplia por algunos, entre los que nos encontramos nosotros, de una manera a la vez curativa y preventiva, en dosis más fuertes, al igual que los medicamentos tradicionales.

LOS APORTES DIARIOS RECOMENDADOS

La alimentación aporta vitaminas, minerales, aminoácidos, ácidos grasos... en dosis variables.

Cada país ha fijado las cantidades necesarias de ADR (Aportes Diarios Recomendados), para cubrir las necesidades de la mayor parte de la población (niños, adolescentes, adultos, ancianos) y evitarles las enfermedades por deficiencia (xeroftalmia por la vitamina A, escorbuto por la vitamina C).

Por desgracia, estos aportes necesarios no tienen en cuenta las necesidades individuales o las circunstancias particulares (edad, sexo, periodo de crecimiento, embarazo, lactancia, práctica deportiva intensa, ingestión de píldora anticonceptiva, infección, estrés, contaminación, tabaquismo, dieta vegetariana, enfermedad asociada...) ni la prevención a largo plazo.

Estudiemos, por lo tanto, las tres vitaminas antioxidantes desde la perspectiva de la prevención y el tratamiento de las enfermedades cardiovasculares y el cáncer, lo que hubiera sido inimaginable hace apenas algunos años.

Dos ejemplos de utilización extraordinaria

- Las dosis aconsejadas de vitamina C son de 80 mg diarios, aunque quizá deberían situarse entre 300 y 500 mg diarios para reducir el riesgo de cáncer.

- Las enfermedades cardiovasculares sólo empiezan a disminuir verdaderamente con dosis diarias de 100 UI (unidades internacionales) de vitamina E, es decir, mucho más que las 15 UI que señalan los ADR.

LA VITAMINA A (O RETINOL)

Un interés creciente

Se utilizaba empíricamente desde la antigüedad, ya que los papiros egipcios de hace 35 siglos recomendaban el consumo de hígado en el tratamiento de las cegueras.

Los pilotos de la Segunda Guerra Mundial consumían grandes cantidades de zanahoria para mejorar la visión nocturna y alcanzar más fácilmente a sus objetivos.

Un poco de historia

Si bien la hipótesis de un vínculo entre la xeroftalmia y la malnutrición ya se había propuesto desde el siglo XIX, la sustancia extraída de la mantequilla y de la yema de huevo que previene esta enfermedad se aisló apenas en 1913.

La vitamina A se describió mucho más tarde, antes de la Segunda Guerra Mundial, y se sintetizó apenas después de ésta.

La vitamina A y su precursor, el betacaroteno, relegados durante mucho tiempo a su función sobre el ojo, han experimentado desde hace poco una ampliación de su uso terapéutico y su importancia ha crecido, sin que por el momento se perciban todos los límites de su acción.

> La xeroftalmia produce resequedad de la conjuntiva del ojo, luego opacidad o atrofia progresiva de la córnea o la destrucción del cristalino. Es responsable de alrededor de medio millón de casos de ceguera en el mundo.

Propiedades fisicoquímicas y utilización práctica

- Los *carotenoides* (*véase* el capítulo anterior), encabezados por el betacaroteno, resisten bien la congelación, pero mucho menos el calor y la luz, ya que pierden entre 20 y 30% de su contenido de vitamina A.

- Es mejor cocer *al dente* los alimentos que los contienen (brócoli, espinaca, tomate, zanahoria...) y consumirlos con un chorrito de aceite de oliva, o crudos: como entrada, sirva ramitas de brócoli con salsa de yogur, ¡es delicioso!

- La cáscara de las zanahorias es rica en carotenoides, se aconseja seleccionar verduras no tratadas, a fin de consumirlas con la cáscara después de cepillarlas muy bien.

- Las zanahorias se conservan de una a tres semanas en el refrigerador, siempre y cuando se envuelvan con cuidado para guardar su humedad.

- Evite cocer los tomates en recipientes de aluminio, debido a su acidez natural. Crudos, los tomates se almacenan a temperatura ambiente; manténgalos siempre a una temperatura superior a 10 °C.

Función "clásica"

Es la vitamina del ojo, ya que su carencia es la primera causa en el mundo de ceguera infantil.

Nuevas "propiedades"

Forma parte de las tres vitaminas dotadas de propiedades antioxidantes, es decir, desempeña en particular una función en la prevención y el tratamiento de las enfermedades cardiovasculares y el cáncer, e interviene para retardar, minimizar e incluso impedir algunos síntomas de envejecimiento.

Fuentes

Se encuentra en los alimentos de origen animal, lista para ser utilizada en forma directa por el organismo, así como en los vegetales en forma de betacaroteno o provitamina A, que, en presencia de grasas, se transforma en vitamina A.

Mousse de zanahoria

Ingredientes para 4 personas
- 400 g de zanahorias
- 1 tomate grande
- 1 cebolla
- 1 diente de ajo
- 1 hoja de gelatina natural
- 1 pizca de cilantro
- 1 cucharadita de raíz de jengibre rallada
- 100 g de queso blanco magro
- 2 claras de huevo
- Unas hojas de menta
- 1 cucharada de aceite de oliva extra virgen
- Sal y pimienta

Preparación
Lave y pele las zanahorias o sólo cepíllelas si son no tratadas; córtelas en rebanadas y cuézalas al vapor. Mientras tanto, remoje la gelatina en un tazón pequeño con agua fría. Al mismo tiempo, en una sartén sofría en aceite de oliva la cebolla pelada y rebanada, el ajo picado, el tomate pelado, despepitado y cortado en dados. Agregue el cilantro, el jengibre rallado y salpimiente. Incorpore las zanahorias y deje cocer tres minutos más, vigilando que la preparación no se ennegrezca.

Pase la preparación por la licuadora, a fin de obtener un puré cremoso. Agregue el queso blanco magro y la gelatina, revuelva. Incorpore por último las dos claras de huevo batidas a punto de turrón.

Vierta la preparación en moldecitos individuales que dejará un mínimo de dos horas en el refrigerador. Sirva como entrada, decore con una hoja de menta.

• **La vitamina A** está presente principalmente en el hígado de los animales (conejo, cerdo, res, ternera...), los aceites de hígado de pescados (anguila, arenque, bacalao, rodaballo, tiburón...), los lácteos (crema, leche entera, mantequilla, yogur...) y quesos grasos (camembert, brie, emmenthal, gorgonzola...), la yema de huevo, etcétera.

• **El betacaroteno** se encuentra sobre todo en los vegetales de color anaranjado, pero no sólo en ellos: si bien lo contienen el albaricoque, el camote, la calabaza de Castilla, el caqui, el mango, el durazno amarillo, el melón, la naranja, la papaya, la toronja rosada, la sandía, el pimiento amarillo y el rojo, la zanahoria, la calabaza... también el brócoli, los berros, la col, las espinacas y el perejil ++ lo contienen en buena cantidad.

• **El licopeno**, variedad de carotenoide, es un aporte del tomate y sus derivados (salsas, concentrados), así como de la papaya, la toronja rosada y la sandía.

Ofrece una actividad antioxidante más poderosa que el betacaroteno, pero está menos extendido. Necesita grasas para tener eficacia plena, lo que explica que la salsa de tomate o el tomate cocido y cocinado a fuego lento sean más protectores que el tomate crudo.

Principales fuentes de
aportes alimenticios

- De **retinol**: pescado (sobre todo hígado de bacalao), carne (sobre todo hígado), huevo (yema cruda), productos lácteos (mantequilla, queso gruyer, queso roquefort).
- De **betacaroteno**: frutas y verduras (espinaca, perejil, zanahoria).

El norte de Europa, debido a su gusto por la zanahoria, absorbe su vitamina A en forma de betacaroteno, mientras que el sur la obtiene gracias al licopeno de los tomates.

Necesidades y complementos

La actividad vitamínica se expresó durante mucho tiempo en UI (unidades internacionales); en la actualidad los expertos prefieren la expresión de equivalente-retinol o "E-R", que tiene la ventaja de utilizarse tanto para la vitamina A como para el betacaroteno; una UI = 0.3 E-R.

Algunos siguen contando en mg:
1000 UI = 0.6 mg = 600 mcg = 30 E-R.
El equivalente-retinol contempla la capacidad de los carotenoides de transformarse en vitamina A dentro del organismo.
- Los requerimientos diarios son de 350 E-R para un lactante, de 400 a 800 E-R para un niño (en función de la edad), 1000 E-R para un hombre adulto, 800 E-R para una mujer, 1000 E-R durante el embarazo y 1300 E-R durante la lactancia.
Las deficiencias se dan mucho, sobre todo en las personas que siguen dietas pobres en materias grasas.
- Se requieren entre 15 y 20 mg de betacaroteno diarios, lo que es superior a las dosis recomendadas, para prevenir las enfermedades cardiovasculares, disminuir las consecuencias del tabaco, etc., mientras que la dosis promedio aportada apenas es de 4 mg al día.

Estatus nutricional

La mitad de los aportes diarios los proporcionan los alimentos animales y la otra mitad los vegetales, pero la vitamina A, y sobre todo el betacaroteno, requieren un aporte proteico suficiente para que se absorban en forma correcta.
Según las diferentes encuestas realizadas, de 35 a 45% de los adultos tienen aportes de vitamina A muy inferiores a las dosis recomendadas (alrededor de un tercio): en efecto, consumimos cada vez más grasas, pobres en vitaminas, y no existe por el momento un progreso espectacular en el consumo de frutas y verduras.

Ensalada de espinacas con toronja rosada

Ingredientes para 4 personas
- 200 g de espinacas frescas
- 1 toronja rosada
- 4 calabacitas
- 1 limón
- 1 manojo chico de perejil
- 1 pizca de páprika
- Vinagre y aceite de oliva extra virgen al gusto
- Sal y pimienta

Preparación
Pele las calabacitas y córtelas en dados. Lave y escurra con mucho cuidado las espinacas. Quíteles la nervadura central y píquelas en trozos grandes. Pele la toronja rosada y córtela en cubos. Mezcle los tres ingredientes en una ensaladera.
Sazone con sal y rocíe con el jugo de limón. Espolvoree con el perejil. Sirva con una vinagreta de aceite de oliva, sazonada con una pizca de páprika.

Deficiencia

- La falta de vitamina A es responsable de daño en la retina (uno de cuyos primeros signos es la pérdida de la visión nocturna) y en la córnea que, al opacarse, produce ceguera.
- La piel se reseca y se arruga.
- Pueden presentarse signos de anemia, aun cuando el régimen sea rico en hierro.
- Es posible que exista una gran fragilidad frente a las infecciones, ya que la falta de vitamina A deprime el sistema inmunológico.
- Las mujeres que toman la píldora, los fumadores, los alcohólicos crónicos y los pacientes atacados por la enfermedad de Alzheimer tienen tasas muy bajas de vitamina A y sus derivados.

Tratamiento preventivo

Se basa en una alimentación equilibrada que cubra fácilmente las necesidades.

La vitamina A se indica cuando hay:

- En especial en la dermatología: algunas dermatitis secas, pieles con hendiduras y grietas, eczema, acné, problemas de cicatrización…
- La prevención y el tratamiento de enfermedades cardiovasculares y cáncer.
- Personas en riesgo: alcohol, tabaco… o simplemente ancianos.

Contraindicaciones

- El embarazo, en el que las dosis altas están prohibidas, sobre todo en el primer trimestre; sin embargo, es importante aconsejar a las mujeres encintas la vitamina A alimenticia (con excepción de hígado de cerdo y de bacalao, demasiado ricos).
- La insuficiencia renal con diálisis (riñón artificial).

Toxicidad

La hipervitaminosis, observada en casos de utilización no medicada de la vitamina A o como consecuencia de errores nutricionales que aportan más de 15 000 E-R diarios por un periodo prolongado, es responsable de diversas manifestaciones cutáneas (pruritos, descamaciones, resequedad…), problemas neurológicos no especificados (fatiga, irritabilidad, dolores de cabeza…), problemas digestivos (náuseas, vómitos), así como, y sobre todo, problemas hepáticos graves (cirrosis) o cutáneos, así como anomalías fetales.

Debe evitarse la ingestión continua de vitamina A sin supervisión médica y detenerla de inmediato desde los primeros síntomas, ya que un aporte excesivo es **tóxico**.

Precaución

- Las vitaminas comerciales contienen con frecuencia demasiada vitamina A: verifique bien su concentración, sobre todo si existe una posibilidad de embarazo.
- El betacaroteno aportado en exceso (demasiadas zanahorias en cada comida durante muchas semanas) no lo transforma el organismo en vitamina A: se deposita en los tejidos y produce una coloración anaranjada de la piel, en especial en la palma de la mano y la planta de los pies.

Las combinaciones buenas

- Vitaminas C y E por su acción antioxidante.
- Zinc.

Los antagonistas

- Laxantes aceitosos: parafina.
- Apósitos gástricos.

En farmacia

• Retinol, sólo para adultos y niños mayores de 8 años.
- Presentación: caja de 30 comprimidos, un comprimido = 50 000 UI.
- Posología: un comprimido diario por 15 días, sin prolongar el tratamiento, bajo vigilancia médica.
• Vitaminas A y E:
- Presentación: tubo de 30 comprimidos, un comprimido = 30 000 UI (combinado con 70 mg de vitamina E).
- Posología: un comprimido diario en tratamientos de 21 días, dos o tres veces al año.
Puede obtener en farmacias complementos de origen natural de betacaroteno (en dosis de 25 000 UI, o sea 15 mg por cápsula) o de licopeno (en dosis de 10 mg por cápsula).

Salsa de tomate con albahaca

Ingredientes para 4 personas
- 500 g de tomates
- 2 cebollas
- 3 dientes de ajo
- 2 ramas de tomillo
- 2 hojas de laurel
- 1 manojo chico de albahaca
- 1 cucharada de aceite de oliva extra virgen
- Sal y pimienta

Preparación
Lave los tomates y córtelos en dados grandes.

Pele y pique las cebollas, pele y machaque los ajos. Coloque todo en una olla que contenga una cucharada de aceite de oliva. Agregue el tomillo, el laurel, la albahaca, sal y pimienta.

Deje que hierva, luego reduzca el fuego al mínimo para mantener un ligero hervor. Deje cocer una hora moviendo de vez en cuando.

Retire el tomillo y el laurel, deje reducir un poco más si es necesario. Sírvala con pasta, un cereal de su elección o incluso úsela para cubrir pasteles de verduras y terrinas de pescado.

Hígado de ternera al limón

Ingredientes para 4 personas
- 4 rebanadas de hígado de ternera
- 250 g de champiñones cultivados
- 1 limón orgánico
- 1 cucharada de harina integral de trigo
- 1 pizca de páprika
- Unas hojas de salvia
- 1 manojo chico de perejil
- 1 cucharada de aceite de oliva extra virgen
- Sal y pimienta

Preparación
Salpimiente cada rebanada de hígado de ternera, sazónelas con páprika. Páselas por la harina y póngalas en una sartén con un chorrito de aceite de oliva.

Lave y monde los champiñones. Córtelos en láminas. Póngalos a cocer en otra sartén con las hojas de salvia y el jugo de medio limón.

Coloque las rebanadas de hígado en un recipiente, cúbralas con los champiñones cocidos, salpique con el perejil lavado, escurrido y picado, decore con rodajas de limón. Sirva con una cucharadita de mantequilla.

LA VITAMINA C (ÁCIDO ASCÓRBICO)

La más estimulante
Es una de las sustancias más conocidas del gran público, interviene en la buena marcha de la mayoría de las funciones del organismo, lo que supera por mucho su marco histórico inicial.

Historia
Durante siglos, el escorbuto representó la principal causa de mortalidad (por hemorragia o infección) de las tripulaciones de marineros de altura hasta que se descubrió el efecto protector milagroso del jugo de limón. La vitamina C se extrajo de éste en 1928 y se sintetizó en 1933. Protege del escorbuto, a lo que debe su nombre de ácido a-scórbico.

Función "clásica"
Desempeña una función esencial pues estimula la inmunidad, el crecimiento, la resistencia y favorece así la salud de los tejidos. Disminuye la fatiga, la ansiedad, el estrés, combate la depresión, reduce la alergia, etcétera.

Nuevas "propiedades"
Forma parte de las tres vitaminas dotadas de poderosas propiedades antioxidantes, es decir, desempeña una función en la prevención y el tratamiento de las enfermedades cardiovasculares y el cáncer, y retarda, minimiza e incluso impide algunos síntomas del envejecimiento. Además, ayuda a los bronquios, el aparato digestivo, los ojos…, y protege a estos últimos de numerosas enfermedades (véase el capítulo anterior).
La disminución de la concentración en vitamina C aumenta la frecuencia de cataratas; las personas que reciben complementos de vitamina C reducen este riesgo en cerca de 75%.

Propiedades fisicoquímicas y utilización práctica
- La acidez de la vitamina C es responsable de su sabor.
- El blanqueamiento de las frutas y verduras antes de ponerlas en conserva destruye casi por completo la vitamina C: prefiera siempre frutas y verduras frescas.
- Las manchas oscuras que aparecen en las peras y las manzanas expuestas algunos días a la luz están asociadas con la destrucción de la vitamina C.
- Es la más frágil de las vitaminas, puede quedar totalmente destruida por la cocción o el calentamiento: las papas cocidas durante una hora ya casi no la contienen. A temperatura ambiente, las espinacas pierden 30% de su vitamina C en 24 horas.
- Por el contrario, la congelación conserva intacta su actividad vitamínica.

Como el jugo de fruta fresca era caro, los comandantes de los barcos decidieron al principio preparar un jarabe más económico, menos molesto… pero totalmente ineficaz si se considera la sensibilidad de esta vitamina al calor. Ese jarabe los convenció durante un tiempo de que darles fruta a sus tripulaciones era una idea descabellada.

Algunas ideas
- Reemplace la tradicional vinagreta por una salsa a base de jugo de naranja o agréguele jugo de naranja o de limón.
- El jugo de cítricos armoniza con muchos platillos: perfúmelos agregando en el último momento un vaso de jugo.
- El famoso pato a la naranja no tiene nada que envidiarle a estos otros platos menos conocidos: ternillas de ternera, asado de cerdo, hígado, pollo, pichón, codorniz o pescado a la naranja… o a la toronja (de preferencia rosada).

Fuentes

Está muy expandida en los cítricos (limón, naranja, toronja…), las frutas (piña, castaña, escaramujo, grosella negra, guayaba, kiwi, mango, manzana, papaya, pera…), sobre todo rojas (cereza, frambuesa, fresa, grosella, tomate…), las verduras (acedera, apio, brócoli, col, espinaca, estragón, chile [ají], perejil, pimiento, rábano picante…), la papa, las hojas verdes para ensaladas (berros, milamores), las menudencias de las aves (hígado, riñones)… El pan no la contiene.

Principales fuentes de aportes alimenticios de la vitamina C

- Verduras y frutas frescas.
- Papas.

Consejos para conservar la vitamina C de los alimentos

- Guarde las frutas y verduras en la parte baja del refrigerador.
- Pélalas justo antes de utilizarlas.
- Lávelas rápidamente, no las deje remojar.
- Cuézalas al dente, al vapor y pélalas sólo después de la cocción.

Requerimientos

El organismo contiene un gramo y medio de vitamina C, lo que le permite a un adulto mantenerse alrededor de un mes. Los requerimientos se calculan de manera muy diversa, según si se desea sólo prevenir una deficiencia u optimizar las reacciones de defensa del organismo. Varían, por supuesto, en función de la edad, el estado de salud, la actividad, el modo de vida, etc. Un niño de hasta 3 años de edad requiere 30 mg diarios, un adolescente, 60 mg, un adulto, 110 mg; pero el profesor Pauling recomendaba dosis 20 a 40 veces superiores.

Estatus nutricional

Se estima que entre 10 y 50% de la población recibe cantidades insuficientes de vitamina C.

Deficiencia

- Los signos de escorbuto son bien conocidos: fatiga, dolores de las articulaciones, pelos en espiral, dientes flojos, heridas que se vuelven a abrir, hemorragias, edemas y muerte por agotamiento o infección.
- Los estados de subdeficiencia muestran signos no específicos: fatiga, irritabilidad, pérdida del apetito, menor resistencia a las infecciones, dificultades de cicatrización, tendencia a los hematomas… antes de las hemorragias.

Tratamiento preventivo

Se basa en una alimentación equilibrada que cubra con facilidad los requerimientos.

La vitamina C se indica cuando hay:

- Menor resistencia a las infecciones.
- Fatiga, ansiedad, estrés, depresión.
- Convalecencia.
- Prevención y tratamiento de enfermedades cardiovasculares y cáncer.
- Personas en riesgo: alcohol, tabaco… o sencillamente ancianos.

Contraindicaciones

Ninguna para dosis inferiores a un gramo diario, pero no hay que dársela al lactante de menos de un mes debido a su interferencia con el hierro.

Las combinaciones buenas

- Los demás antioxidantes: betacaroteno, vitamina E, selenio, zinc.
- Calcio, magnesio.
- Vitamina B1.

Los antagonistas

- La aspirina inhibe su absorción, peso por peso: si toma 500 mg de aspirina, debe consumir 500 mg de vitamina C.
- El alcohol.
- Algunos medicamentos (antibióticos, cortisona, píldora anticonceptiva…).

Interacciones medicamentosas

- Anfetaminas y antidepresivos.
- Anticoagulantes.
- Cobre y hierro: no deben asociarse, ya que se corre el riesgo de que constituyan lo que algunos han llamado una "bomba oxidante", estrictamente contraria al efecto antioxidante que se busca. No obstante, la vitamina C favorece la absorción intestinal del hierro.

Ensalada de hinojo con naranjas

Ingredientes para 4 personas
- 4 bulbos pequeños de hinojo
- 1 manojo de berros
- 2 naranjas
- 1 limón
- 60 g de queso blanco magro
- Sal y pimienta

Preparación
Ponga a hervir en una cacerola una gran cantidad de agua con sal.

Limpie los bulbos de hinojo retirando las partes indigestas; lávelos, hiérvalos durante un minuto y medio en la cacerola. Escúrralos, píquelos en trozos grandes. Reserve en una ensaladera.

Lave y limpie los berros, mezcle perfectamente sus hojas con el hinojo picado.

Lave una naranja, córtela en dados y agréguela a la preparación.

En un tazón, prepare una salsa con el jugo de la otra naranja, el jugo del limón y el queso blanco, salpimiente la mezcla.

Vierta esta salsa sobre la preparación, mezcle suavemente y sirva de inmediato.

Pasta con toronja rosada

Ingredientes para 4 personas
- 400 g de la pasta de su elección
- 1 toronja rosada
- 1 calabacita
- 2 ramas de perejil
- 1 cucharada de aceite de oliva extra virgen
- 1 limón orgánico
- Sal y pimienta

Preparación
Ponga a cocer la pasta siguiendo las instrucciones del paquete.

Mientras tanto, en una olla, sofría en el aceite de oliva durante cinco minutos la calabacita lavada y cortada en cubos; salpimiente.

Pele la toronja rosada, córtela en dados, viértala en la olla, agregue el perejil, salpimiente, mueva, deje cocer dos minutos más. Vacíe en un recipiente hondo, decore con cuartos de limón y sirva.

Toxicidad

- Ausente, pero la ingestión masiva puede provocar trastornos digestivos, signos de excitación nerviosa con insomnio, cálculos renales (se analiza en otra parte) y, en raras ocasiones, reacciones alérgicas.
- Según algunos investigadores, aportes superiores a 500 mg diarios proporcionados por periodos prolongados a la larga podrían ser tóxicos; el debate continúa…

En farmacias

Puede usted encontrar complementos de vitamina C en muchas formas, presentaciones y dosis; citamos aquí algunas especialidades:
- Tabletas masticables, una = 500 mg; una tableta efervescente = 1 o 2 g.
- En gotas, 20 gotas = 100 mg.
- Solubles, en sobre = 1 g.
- La presentación efervescente, que recurre al bicarbonato, es antagonista de esta vitamina ácida: por consiguiente, es preferible elegir las otras formas de presentación.
- La vitamina C de origen natural y la forma sintetizada son, de hecho, la misma molécula, pero la segunda, más concentrada y menos cara, es, finalmente, al contrario de lo que se cree, la que conviene aconsejar.

LA VITAMINA E (O TOCOFEROL)

La más antioxidante

Se extrae del aceite de germen de trigo, se preparó por primera vez en 1936 y se sintetizó dos años después. Su función se mantuvo durante mucho tiempo restringida a su acción sobre la fecundidad. Adquirió su estatus de elemento nutricional esencial en la década de 1960, pero el descubrimiento, poco después, de sus extraordinarias propiedades antioxidantes es lo que le ha dado su gran celebridad: en efecto, es la más poderosa de las vitaminas protectoras.

Función "clásica"

Indispensable en este sentido para las funciones de reproducción, mejora el rendimiento de los atletas, "dopa" el tono sexual combinada con selenio y zinc. Es estimulante de la inmunidad, tiene acción antiinflamatoria importante contra los dolores reumáticos y fluidifica la sangre.

Nuevas "propiedades"

Forma parte de las tres vitaminas dotadas de propiedades antioxidantes, es decir, que desempeña un papel en la prevención y el tratamiento de las enfermedades cardiovasculares y el cáncer e interviene para retardar, minimizar o incluso impedir algunos síntomas del envejecimiento. En la actualidad, sobre todo debido a su poderosa acción tres veces superior a la de las otras dos vitaminas, es el centro de muchísimos estudios dedicados a precisar las modalidades óptimas de su aplicación.

Propiedades fisicoquímicas y utilización práctica

- Las pérdidas de vitamina E son relativamente poco importantes debido a la cocción, salvo si tiene lugar a altas temperaturas.
- Los aceites que la contienen deben conservarse en recipientes opacos, al abrigo del aire, y deben consumirse rápidamente.
- Protege, en parte, a los aceites que la contienen de su propia oxidación.
- Se absorbe mejor en una comida que contiene un poco de aceite o de grasas.
- Consumir germen de trigo en hojuelas sobre verduras crudas, hortalizas, cereales, en terrinas y panes de verduras o en yogures es una manera sencilla y sana de aumentar sus aportes de vitamina E sin que lo note.

Fuentes

La aportan tanto los alimentos de origen animal como los de origen vegetal. Está presente sobre todo en la mantequilla y la margarina, los cereales integrales, los quesos grasos y los lácteos y el aceite de girasol, y también, aunque en menor concentración, en los aceites de cacahuate, colza, maíz, oliva y semillas de uva…

También se encuentra en el germen de trigo, las verduras (aguacate, espárrago, maíz, soya, tomate…) y las hortalizas de hoja verde (col, perejil…), las oleaginosas (almendra, avellana, nuez, nuez del coco, pistache), los pescados grasos (atún en aceite)… El pan blanco apenas si contiene rastros de ella.

Principales fuentes de aportes de vitamina E
- Materias grasas vegetales.
- Frutas y verduras.
- Huevos, pescados, carnes.

Algunas cifras

- 10 g de aceite de germen de trigo, o 20 g de aceite de girasol, o 30 g de aceite de almendras, o 40 g de aceite de semillas de uva, o 60 g de aceite de colza, o 100 g de aceite de cacahuate o de maíz, o 120 g de aceite de oliva… cubren la ración diaria de vitamina E.
- Se requerirían 600 g de mantequilla, o más de una docena de huevos grandes, o 1 kg de verduras, o más de 1 kg de pescado, o 2 kg de carne, o más de 2 kg de fruta, o 12 l de leche entera para cubrir los requerimientos cotidianos de vitamina E.
- Los aceites de pescados de mares fríos, ricos en ácidos grasos poliinsaturados, son, por el contrario, pobres en vitamina E.

Requerimientos
Se requieren entre 7 y 15 UI para un niño y entre 12 y 15 UI para un adulto, pero estas cifras deberán revisarse al alza, ya que evidentemente son insuficientes.

Estatus nutricional
En América Latina, en más de 50% de la población, los aportes alimenticios son inferiores a las recomendaciones y algunos consideran que el conjunto de la población tiene deficiencia de esta vitamina. Como existen fuertes presunciones a favor de la acción protectora, parece importante que se alcancen e incluso se superen los ADR.

Deficiencia
Se inscribe siempre en un cuadro de malnutrición general o en una situación patológica particular (prematuros, enfermedad genética…). Se manifiesta por signos neurológicos (dificultad en la marcha) y musculares, un daño a la retina.

Tratamiento preventivo
Una alimentación equilibrada cubre con facilidad los requerimientos, pero algunos tratamientos a los que la industria alimenticia somete los alimentos destruyen gran parte de las vitaminas y, principalmente, la vitamina E. La vitamina E se indica cuando hay:
- Problemas de fertilidad, impotencia.
- Fatiga y necesidad de rendir más físicamente (deportistas).
- Menor resistencia a las infecciones.
- Enfermedades cardiovasculares y cáncer.
- Personas en riesgo: alcohol, tabaco… o simplemente ancianos.

Contraindicaciones
Ninguna.

Las combinaciones buenas
- Los otros antioxidantes: carotenoides, vitamina C, selenio, zinc.

Los antagonistas
- El aceite de parafina, que impide su reabsorción.
- Los antiácidos.

Interacciones medicamentosas
- La píldora.
- Antiepilépticos.
- Cobre y hierro, ya que existe un riesgo pro oxidante.
- Anticoagulantes (antivitaminas K) con riesgo de hemorragia para aportes de vitamina E superiores a un gramo diario.

Toxicidad
Ninguna en principio, incluso en dosis cien veces superiores a los aportes recomendados.

Ensalada de soya

Ingredientes para 4 personas
- 250 g de frijoles de soya cocidos
- 250 g de granos de maíz dulce en conserva, escurridos
- 1 aguacate
- 2 tomates
- Unas hojas de col china
- 1 lata de atún en aceite

Para la vinagreta
- 1 cucharada de aceite de germen de trigo
- 1 cucharada de aceite de girasol
- 1 cucharada de aceite de colza
- 1 cucharada de vinagre aromatizado con echalote
- Sal y pimienta

Preparación
Enjuague los frijoles de soya cocidos y los granos de maíz. Escúrralos. Póngalos en una ensaladera. Lave las hojas de col china, recórtelas, agréguelas, así como el atún ya desmenuzado con el aceite escurrido, los tomates, lavados y cortados en dados, y el aguacate cortado en rebanadas.
Prepare la vinagreta: en un recipiente, mezcle los tres aceites y el vinagre, salpimiente, vierta sobre la ensalada, revuelva y sirva.

LOS OLIGOELEMENTOS, UNA PRESENCIA INDISPENSABLE

LA OLIGOTERAPIA, QUE SURGIÓ A PRIN-CIPIOS DEL SIGLO XX, SE BASA EN LA PRESCRIPCIÓN DE OLIGOELEMENTOS: ESTAS SUSTANCIAS MINERALES INERTES, PRESENTES EN PEQUEÑAS CANTIDADES (DEL GRIEGO *OLIGOS* = POCO), INDISPENSABLES PARA LA VIDA, NO SINTETIZADAS POR EL ORGANIS-MO Y DE ORIGEN ALIMENTICIO OBLIGADO, INTERVIENEN EN MUCHAS REACCIONES QUÍMICAS, FAVORECEN LOS INTERCAMBIOS ENTRE LOS TEJIDOS Y DINAMIZAN LAS REAC-CIONES DE DEFENSA.

La salud depende sin duda de su presencia, así como de su equilibrio: la acumulación o la disminución perturban el funcionamiento del organismo y permiten que se instale la enfermedad.

CAUSAS DE DEFICIENCIA

La deficiencia, más bien una subdeficiencia en los países industrializados, proviene muchas veces:

- De un aporte alimenticio insuficiente: mal-nutrición, dieta vegetariana o demasiado restrictiva, sobre todo en proteínas, modos de cultivo con utilización de muchos fertilizan-tes, refinación, conservación excesiva, cocción agresiva…
- Del incremento de necesidades: crecimiento, agotamiento por cansancio excesivo, emba-razo, deporte, traumatismo, cirugía, estrés psicológico, edad…
- De un aumento de las pérdidas: ayuno, que-maduras extensas, sudoración importante…
- Los modos de cultivo y la industria agroali-mentaria, si bien son totalmente valiosos en cuanto a la higiene y la frescura de los alimen-tos, tienen, por el contrario, repercusiones

negativas en lo que se refiere al contenido de minerales y vitaminas. Pese a la variedad y calidad de los medios de cultivo, recolección y transporte, todas las investigaciones con-cluyen que las deficiencias son mucho más frecuentes y probablemente más preocupan-tes de lo que parece o de lo que se anuncia.

¿ALIMENTACIÓN O COMPLEMENTACIÓN?

Una alimentación equilibrada y variada aporta en teoría al organismo todo lo que éste ne-cesita para su construcción, funcionamiento y conservación de la salud. Ésta es, por otra parte, la opinión de muchos científicos.

Sin embargo, nos parece insuficiente para en-frentar el "estrés oxidante", el origen de varios trastornos o enfermedades más o menos gra-ves. La complementación, entonces, no sólo es necesaria, sino casi siempre por completo **indispensable**.

Muchos oligoelementos intervienen en las reacciones de defensa del organismo, pero sólo hablaremos del selenio y del zinc, por-que sólo ellos responden a la definición de antioxidante.

LOS DOS OLIGOELEMENTOS CON ACTIVIDAD ANTIOXIDANTE

EL SELENIO

El elemento más antioxidante
Por mucho tiempo se le consideró un ele-mento tóxico, pero desde que se confirmó su papel absolutamente esencial para la salud la mayoría de los científicos lo alaban: en efecto, es el más antioxidante de los oli-goelementos.

Utilización industrial
Sus cualidades para transportar y transformar la energía le han permitido invadir nuestro

Camarones salteados con champiñones

Ingredientes para 4 personas
- 200 g de camarones pelados
- 200 g de champiñones
- 3 dientes de ajo
- 1 taza de chícharos cocidos, frescos o congelados (mejor), si no, en conserva
- 1/2 pimiento rojo
- 2 zanahorias
- 1 cebolla
- 1 huevo cocido
- 1/2 cucharadita de curry
- 1 cucharada de aceite de oliva extra virgen
- Sal y pimienta
- Brócoli cocido

Preparación

Lave los camarones y séquelos. Córtelos en tiras. Pele la cebolla. Rebánela. Caliente el aceite de oliva en una sartén durante cinco minutos. Agregue los champiñones, los chícharos cocidos, el medio pimiento rojo despepitado y cortado en cubos, las zanahorias peladas y cortadas en bastones delgados, el huevo cocido desmenuzado, el ajo machacado, los camarones pelados y el curry. Salpimiente, deje cocer de diez a quince minutos más. Sirva con brócoli cocido *al dente*.

ambiente doméstico: interviene lo mismo en la fabricación de transformadores, teléfonos inalámbricos y células fotoeléctricas que en la de tableros de energía solar.

Distribución

Está presente en las plantas y lo absorben los animales que se alimentan de ellas. Puede resultar tóxico si el suelo lo contiene en concentraciones muy grandes (algunas regiones de Estados Unidos y Canadá) o si está casi desprovisto de él (algunas provincias de China o de Nueva Zelanda).

El contenido de selenio de los suelos agrícolas es cada vez más débil debido a los cultivos intensivos y las lluvias ácidas, lo que nos lleva a la necesidad de recurrir a complementos. La cantidad total de selenio contenido en el organismo es reducida, porque se sitúa entre 10 y 20 mg.

Función "clásica"

Protege el corazón, estimula el sistema inmunológico, neutraliza las toxinas, ayuda a eliminar los metales pesados (plomo, mercurio), interviene en el nivel de agregación de las plaquetas para fluidificar la sangre, favorece la producción de espermatozoides y previene el envejecimiento.

Nuevas "propiedades"

El selenio permite detener "la oxidación" de las grasas, origen de problemas cardiovasculares más o menos graves, lo que le otorga un papel esencial de protección. Aportado de manera regular y adecuada, es capaz de prevenir o reducir la mortalidad de algunos tipos de cáncer (pulmón, vejiga, estómago).

Fuentes

Se encuentra sobre todo en los alimentos de origen animal: pescados de mar (atún, arenque…) y crustáceos (ostiones), huevo, carne (hígado, riñones).

También está presente en algunos vegetales, pero su concentración varía mucho en función de los suelos de cultivo: los cereales y harinas integrales (cebada), el germen de trigo, algunas hortalizas (ajo, brócoli, espárrago, champiñón, zanahoria…), la levadura de cerveza, la nuez de Brasil, el vinagre de manzana… lo contienen en poca cantidad.

La leche y los productos lácteos contienen muy poco selenio.

Las frutas casi están desprovistas de él.

Requerimientos

Los ANR (aportes nutricionales recomendados) de selenio, fijados por los científicos, se sitúan en alrededor de 60 mcg diarios para las mujeres y de 80 mcg diarios para los hombres: la alimentación sólo aporta en promedio 45 mcg, las dosis "antioxidantes" deberían ser de 150 a 300 mcg. Es indispensable complementarlo, en particular en los deportistas, así como en personas cuya resistencia esté disminuida, como en convalecientes, ancianos o tan sólo que sufran de cansancio.

Deficiencia

En ocasiones excepcionales es responsable de problemas cardiovasculares (hipertensión arterial, accidentes vasculares cerebrales, insuficiencia cardiaca…) como la enfermedad de Keshan; por el contrario, es mucho más frecuente una disminución de las defensas inmunitarias.

Una subdeficiencia, que resulta difícil de comprobar o afirmar con bases, sería responsable de trastornos del humor o del carácter.

Exceso

En dosis altas, es un veneno.

- La intoxicación aguda, observada en general en el medio industrial cuando se inhalan humos y polvos ricos en selenio, provoca dolores de cabeza, trastornos digestivos (náuseas, vómitos) y lesiones oculares y cutáneas.
- La intoxicación crónica es responsable de trastornos digestivos y cutáneos.

Interacciones

- Las vitaminas A, C y E favorecen su absorción, lo cual hace más potente su acción: es buena para las reacciones de defensa del organismo.

- La plata, el cobre y el cobalto, por el contrario, disminuyen su absorción.

Toxicidad
Es posible, pero para aportes elevados que nunca se alcanzan en la complementación. Dosis de alrededor de 500 mcg diarios por periodos prolongados no causan ningún trastorno.

El selenio se indica cuando hay:
- Posibilidad de enfermedades cardiovasculares, cáncer, envejecimiento patológico… lo que ocurre debido a que las personas bajan la guardia y a comportamientos de riesgo (alcohol, tabaco…).
- Eczema, vitíligo….
- Reuma (acción antiinflamatoria).

En farmacias
Busque vitaminas que lo contengan, por ejemplo, combinado con otras como la A, la C y la E. Posología: adultos y niños mayores de 6 años: un comprimido diario.

EL ZINC

Un elemento de importancia
Ignorado durante mucho tiempo, es el elemento en el que trabajan actualmente la mayoría de los investigadores del mundo entero.

Utilización industrial
Su resistencia a la humedad hace que se utilice en tejados, canalizaciones, latas de conserva, etcétera.

Distribución
El organismo contiene un total de 2.5 g de zinc, de los cuales dos tercios se encuentran distribuidos en los músculos y el tercio restante en los huesos.

Función "clásica"
Brinda una protección considerable del organismo por su presencia en unas doscientas reacciones químicas, en particular las que se requieren para la síntesis de proteínas.
También participa en el crecimiento, la respiración, el sistema endocrino, la inmunidad, la inflamación, la cicatrización, la reproducción, la sexualidad, el desarrollo del feto…

> El óxido de zinc se utiliza desde la antigüedad para el tratamiento de las heridas y quemaduras.

Nuevas "propiedades"
El zinc tiene una acción preventiva para algunos tipos de cáncer: las deficiencias graves se asocian con tasas elevadas de cáncer de esófago, bronquios y próstata. Sin embargo, parece inútil proponer complementos de zinc para prevenir el cáncer en personas cuyo régimen no tiene deficiencia de este elemento.
Posee una acción antioxidante por dos razones: entra en competencia con el cobre y el hierro, que son pro oxidantes, y se asocia con moléculas azufradas para proteger las membranas del ataque de los radicales libres.

Fuentes
Existe en muchísimos alimentos, pero sobre todo en los ostiones, los mariscos de caparazón y el pescado. Se encuentra también en la carne, los cereales, el *foie gras*, el jengibre, algunas hortalizas (brócoli, champiñón, espinaca, frijol), la levadura de cerveza, la nuez, el pan integral, el paté de hígado y la yema de huevo.

Requerimientos
Son del orden de 10 mg diarios en los niños de hasta 10 años, de 15 mg en el adulto, de 20 mg durante el embarazo… Estos requerimientos probablemente no se encuentren perfectamente cubiertos por la alimentación, aunque sea variada, ya que el zinc es el mineral que peor absorbemos todos. La actividad antioxidante requiere dosis diarias ligeramente más altas: de alrededor de 30 mg.

Deficiencia

Parece más frecuente de lo que se afirma; el consumo de alcohol y diuréticos, algunas enfermedades intestinales o renales, un régimen vegetariano o el consumo de pan integral... la agrava.

Los países del Tercer Mundo que consumen sobre todo vegetales son más propensos a las deficiencias de zinc que los occidentales. Además, el zinc, junto con el hierro, es el oligoelemento que el organismo tiene más dificultad para absorber (menos de 10% de las cantidades ingeridas).

La deficiencia de zinc puede provocar trastornos digestivos, úlceras cutáneas o una piel seca, la caída o el adelgazamiento del cabello, junto con una disminución de su crecimiento, uñas quebradizas, con manchas blancas o que se desdoblan, una sensibilidad a las infecciones, trastornos de la vista, el gusto, el olfato y el apetito y, en algunos casos, un retraso en el crecimiento o enanismo en el niño.

Interacciones

- Los alimentos ricos en fitatos, sobre todo el pan integral y el pan de salvado, así como el germen de trigo, el frijol, el maíz, la soya... disminuyen su absorción, al igual que el alcohol, los taninos, algunos antibióticos, la píldora...
- La carne y las proteínas ricas en aminoácidos azufrados, los ácidos grasos poliinsaturados, el vino, la vitamina C... favorecen su absorción.
- Entra en competencia con el calcio, el cobre y, sobre todo, el hierro.
- El té y el café lo hacen huir.

Exceso

Ningún signo en condiciones normales.

Toxicidad

No hay una toxicidad real, pero no es necesario rebasar las dosis de 150 mg diarios: surgen trastornos digestivos y se convierte en inmunosupresor.

El zinc se indica cuando hay:

- Infecciones, porque estimula la inmunidad.
- Prediabetes, en la que puede utilizarse solo, diabetes comprobada, en la que es posible asociarlo con tratamientos tradicionales.
- Estados de fatiga, ya que es activante en términos generales y para la sexualidad en particular.
- Retrasos en el crecimiento.
- Problemas de la piel (acné, soriasis, manchas blancas en las uñas) y de cicatrización.
- Pérdidas del gusto y del olfato.
- Artritis, gracias a su función antiinflamatoria.
- Descalcificación, osteoporosis.
- Pero, sobre todo, la prevención de enfermedades cardiovasculares, cáncer, envejecimiento patológico... el cual ocurre debido a que las personas bajan la guardia y a comportamientos de riesgo (alcohol, tabaco...).

La ingestión de zinc debe suspenderse provisionalmente durante un episodio infeccioso agudo, ya que se corre el riesgo de favorecerlo al permitir que los gérmenes se multipliquen con mayor facilidad.

En la práctica

- Prefiera el pan de levadura más que el pan integral, que inhibe su absorción.
- Evite en la misma comida el pan integral o de salvado, maíz, soya.
- Si toma complementos, aleje las ingestiones de zinc, hierro y vitamina C.

En farmacias

Existe en muchas formas:
- Gránulos para deshacerse en la boca, comprimidos para deshacerse en la boca, y otros que se hallan en farmacias y tiendas de productos naturales...
- Posología: una dosis de uno de estos productos una o dos veces al día.

Ostiones gratinados con boquerones

Ingredientes para 4 personas
- 2 docenas de ostiones
- 4 tomates bien maduros
- 2 cucharadas de aceite de oliva extra virgen
- 3 echalotes
- 12 filetes de boquerón
- 1 limón orgánico
- 1 manojo de perejil
- Unas hojas de laurel
- Unas ramitas de tomillo
- Unos tallitos de cebollines
- Sal y pimienta

Preparación
Precaliente el horno a 180 °C. Limpie los ostiones, quíteles los caparazones, cuézalos rápidamente en su jugo. Resérvelos calientes. Lave los tomates, córtelos en rebanadas. Acomódelos en el fondo de un recipiente para gratinar engrasado con aceite. Cubra con los echalotes pelados y picados, el perejil y los cebollines finamente picados, los filetes de boquerón picados, hojas de laurel, ramitas de tomillo y rocíe con aceite de oliva. Hornee durante diez minutos, coloque los ostiones en la superficie, luego siga horneando cinco minutos más. Retire las hojas de laurel y las ramitas de tomillo. Rocíe con el jugo de limón y sirva.

DOS OLIGOELEMENTOS, COFACTORES IMPORTANTES DE LOS ANTERIORES

EL MAGNESIO

Un elemento esencial

El déficit en magnesio provoca una retención de sodio (de sal), una penetración excesiva del calcio y una acumulación de hierro en la célula, lo que favorece la producción de radicales libres y, por consiguiente, la aceleración de fenómenos degenerativos asociados con el "estrés oxidante".

Por el contrario, al parecer, entre los consumidores regulares de magnesio se registra un riesgo disminuido de cáncer, en particular de colon y de esófago.

Fuentes

Está presente en casi todos los alimentos, pero por desgracia en los ricos en calorías…

Se encuentra sobre todo en los cítricos, el plátano, los cereales integrales (hojuelas de avena, salvado…), el cacao y el chocolate (290 mg por cada 100 g), los crustáceos (almeja, camarón, caracol de mar, ostión…) y pescados grasos, el caracol, el higo, los quesos duros, las frutas secas (almendra, avellana, cacahuate, nuez…), las verduras (espinaca, puré de chícharo, frijol y ejote, maíz, soya…), el pan integral (90 mg por cada 100 g contra 30 mg para el pan blanco)…

Aporte en magnesio para una ración mediana

- Almendras: 80 mg
- Alubias: 70 mg
- Ejotes: 55 mg
- Nueces: 40 mg
- Pan integral: 35 mg
- Arroz integral: 30 mg
- Papas: 30 mg
- Dátiles secos: 20 mg

Las principales fuentes de magnesio son el cacao, las semillas y frutas secas, el germen de trigo, la levadura de cerveza, los cereales integrales, las verduras y las hortalizas de hoja verde. También lo contienen, pero en menor cantidad, los lácteos, la carne y algunas frutas.

Requerimientos

Para el niño se requieren 250 mg diarios; para el adulto, de 300 a 500 mg diarios; sin embargo, los requerimientos pueden llegar hasta 700 mg al día en función de la edad y diferentes factores como el estrés, el deporte, el alcoholismo, las dietas deficientes, la ingestión de algunos medicamentos (diuréticos, píldora anticonceptiva, tratamiento hormonal, etcétera).

Deficiencia

Afecta a 50-60% de la población occidental. Se asocia con el hecho de que consumimos menos cereales, pan integral, leguminosas, frutas secas… y más azúcares refinadas, alcohol, etc., así como porque algunos de estos alimentos, antes con mayores concentraciones de magnesio, hoy lo contienen menos.

Se impone la complementación si el paciente está estresado, es deportista o toma algunos medicamentos y se alimenta mal.

La deficiencia de magnesio produce una de las sintomatologías más ricas que es posible observar y que mejor se puede tratar a veces… aun cuando el cuadro clínico parezca crónico, desesperante o incluso inquietante. No requiere ninguna dosificación sanguínea, cuyo interés diagnóstico es discutible.

El magnesio se indica cuando hay:
- Trastornos neurovegetativos: espasmofilia, depresión, insomnio.
- Cardioprotección, trastornos del ritmo.

El magnesio también se indica cuando hay:
- Menor resistencia a las infecciones.
- Embarazo.
- Crecimiento.
- Artrosis, artritis.

Mousse de chocolate con almendras

Ingredientes para 4 personas
- 200 g de chocolate extra oscuro
- 3 claras de huevo
- 1 yema
- Unos pedacitos de cáscara confitada de naranja o de limón
- 1 cucharada de almendras en polvo

Preparación
Parta el chocolate en trozos.
Fúndalo lentamente en una cacerola con una cucharada de agua.
Fuera del fuego, incorpore la yema de huevo, luego las claras batidas a punto de turrón.
Vierta en copitas individuales y coloque en el refrigerador por lo menos una hora.
Antes de servir, espolvoree con el polvo de almendras, decore con cáscara confitada de limón o naranja.

Toxicidad
Sobre todo es renal si el aporte cotidiano supera un gramo diario: riesgos de precipitación de sales de fosfatos de magnesio en la orina.

En farmacias
Existe en muchas formas y presentaciones (muchas de ellas asociadas con otros oligoelementos): gránulos o comprimidos que se deshacen en la boca…
- Posología: una dosis de alguno de estos productos una o dos veces al día.

EL AZUFRE

Un importante agente contra las infecciones. Está presente en todas las células del organismo y es uno de sus principales constituyentes. Participa en muchas reacciones, por eso en alguna época fue considerado la panacea.

Función "clásica"
Se ha utilizado empíricamente desde hace mucho tiempo para las vías respiratorias, la piel y las faneras (cabellos, uñas), el hígado, las articulaciones…, está presente en el núcleo de las células, es necesario para múltiples reacciones químicas e interviene en muchas funciones.
Posee, entre otras, una actividad antiinfecciosa en el nivel de las mucosas y desempeña una función importante en el cartílago, del que constituye un elemento estructural.

Nuevas "propiedades"
Aun cuando no posee, propiamente hablando, una actividad antioxidante, es esencial, ya que activa un aminoácido, el glutatión.
Además, todos los alimentos que contienen azufre poseen una indiscutible propiedad antioxidante.
El azufre, al entorpecer considerablemente el fenómeno de la oxidación, previene los mecanismos de "caramelización" de la sangre a partir de las grasas y el azúcar. Frena la evolución del cáncer de próstata y tal vez el de otras localizaciones, como lo mostró un estudio in vitro (en el laboratorio) realizado con ayuda de un complemento extra de ajo, rico en azufre: las células cancerosas tardaron de dos a cuatro veces más para multiplicarse.

Fuentes
Está presente sobre todo en los aminoácidos azufrados y, por consiguiente, en las proteínas.
Se encuentra principalmente en el huevo (165 mg por cada 100 g de yema), la carne y el pescado, así como en el ajo, la almendra, la avena, el brócoli, la cebolla, el cebollín, el echalote, la coliflor, la col de Bruselas, el espárrago, el higo, el germen de trigo, los frijoles, la lenteja, la nuez de cajú, la papaya, el puerro, el rábano negro…

Requerimientos
Alrededor de 850 mg diarios.

Un huevo entero aporta alrededor de 70 mg de azufre, o sea, poco menos de un décimo de los requerimientos cotidianos.

El azufre se indica cuando hay:
- Problemas de la piel y de las faneras.
- Infecciones, sobre todo en el área otorrinolaringológica.
- Artrosis, artritis.
- La flora intestinal, pues la reconstituye después de un tratamiento con antibióticos, lo que proviene probablemente de la acción contra los radicales libres.

Toxicidad
Esencialmente es de origen industrial, con afectaciones de la piel y los pulmones.

En farmacias
Existe en muchas formas y presentaciones (muchas de ellas asociadas con otros oligoelementos): gránulos y comprimidos para deshacer en la boca…
- Posología: una dosis de alguno de estos productos una o dos veces al día.

Terrina de espárragos

Ingredientes para 6 personas
- 300 g de espárragos en conserva, escurridos
- 1 sobre de sopa deshidratada de espárragos
- 100 g de queso blanco magro
- 3 huevos
- 2 echalotes
- 2 dientes de ajo
- Sal y pimienta
- Cebollín

Preparación
Precaliente el horno a 180 °C. Escurra los espárragos en lata, guarde el jugo. Diluya el contenido del sobre de sopa deshidratada en el jugo de los espárragos.

Coloque los espárragos cortados en trozos, la preparación anterior y los huevos enteros en el vaso de la licuadora.

Licue la preparación hasta que la mezcla esté muy homogénea. Agregue el queso blanco magro, los echalotes y el ajo picados finamente, licue de nuevo.

Vierta en un molde de pastel engrasado con aceite.

Hornee durante treinta y cinco minutos en baño María. Deje enfriar antes de desmoldar. Sirva con una salsa de queso blanco y cebollín.

Tarta (quiche) de acelgas y roquefort

Ingredientes para 6 a 8 personas
- 1 pasta preparada para tarta
- Alrededor de 800 g de hojas de acelgas
- 90 g de queso roquefort
- 1 cucharada de aceite de oliva extra virgen
- 3 huevos enteros
- 1 tarro grande de crema fresca espesa con 8% de materia grasa
- 1/2 cucharadita de páprika
- Sal y pimienta

Preparación
Precaliente el horno a 220 °C. Extienda la pasta en un molde para tarta de 28 cm de diámetro.
Lave y limpie las hojas de acelga, quíteles las venas y séquelas. En una sartén, sofríalas durante cinco minutos en el aceite de oliva, moviendo con frecuencia.
En un recipiente, vacíe los huevos y bátalos con un tenedor, agregue la crema fresca, la páprika, sal y pimienta. Añada a la preparación el roquefort desmenuzado toscamente con un tenedor.
Acomode las hojas de acelga cocidas sobre el fondo de la tarta. Vierta armoniosamente encima el contenido del recipiente.
Hornee de veinte a veinticinco minutos.

Berenjenas gratinadas

Ingredientes para 4 personas
- 4 berenjenas
- 4 tomates
- 300 g de carne molida de res
- 4 dientes de ajo
- 1 cebolla
- 1 cucharada de albahaca
- 1 cucharada de perejil
- 1 cucharada de aceite de oliva extra virgen

Preparación
Precaliente el horno a 200 °C. Lave los tomates, córtelos en rebanadas.
Lave las berenjenas y pélelas. Córtelas en rebanadas finas y rellene con ellas el fondo de un recipiente para gratinar previamente engrasado con aceite. Pele y pique la cebolla, pele y machaque el ajo.
En una sartén, sofría la carne molida con el ajo y la cebolla, moviendo de manera constante durante cinco minutos. La carne debe quedar suave. Rellene la cama de berenjenas con esta preparación, cubra con ruedas de tomate, salpimiente, rocíe con un chorrito de aceite de oliva, espolvoree la albahaca y el perejil picado, recubra con queso gruyer rallado y hornee de quince a veinte minutos.

En la práctica

Una alimentación suficiente y variada proporciona los micronutrientes.

Los malos hábitos alimenticios a veces provocan déficit y favorecen o producen enfermedades, lo que en la actualidad puede prevenirse con una complementación adecuada (6 mg de betacaroteno, 60 mg de vitamina C, 15 mg de vitamina E, 100 mcg de selenio, 20 mg de zinc).

En el estado actual de conocimientos, las cantidades aconsejadas de vitaminas y minerales con un propósito antioxidante se sitúan alrededor de:
- 15 mg de betacaroteno,
- 15 mg de licopeno,
- 200 a 500 mg de vitamina C,
- 100 a 200 mg de vitamina E,
- 75 mcg a 200 mcg de selenio,
- 30 mg de zinc,
- sin olvidar mucho magnesio y algo de azufre.

Pastas para untar

Las pastas para untar ricas en omega 3 son diferentes de las pastas enriquecidas con fitosteroles que se encuentran hoy en día en los supermercados. Con una fórmula química muy parecida a la del colesterol, estos últimos compiten con él, impiden su absorción y favorecen su eliminación en las heces fecales. Este efecto hipocolesterolemiante permite disminuir entre 10 a 15% el colesterol malo. Sin embargo, los concentrados de fitosteroles están reservados para pacientes cuyo colesterol es elevado, mientras que las pastas enriquecidas con omega 3 pueden proponerse a título preventivo a todo el conjunto de la población.

DÍA TIPO RICO EN ANTIOXIDANTES

Desayuno
- Un tazón de té verde de China.
- Un vasito de leche de soya.
- Algunas nueces, avellanas o nueces de cajú.
- Una fruta fresca (naranja, kiwi, papaya, mango…).
- Una rebanada pequeña de pan integral con una cucharadita de pasta de untar rica en omega 3.

Comida
- Un plato de verduras crudas (brócolis crudos, betabeles, zanahorias ralladas…) rociadas con un chorrito de aceite de oliva y de jugo de limón, con un poco de levadura de cerveza, perejil y cebollín.
- Una ración de pescado graso a escoger, acompañado de un tazón pequeño de mijo sazonado con una salsa de tomates con ajo y albahaca.
- Un tazón pequeño de frutas frescas de su elección (cerezas, frambuesas, fresas…).
- Un vasito de buen vino tinto.

Merienda (opcional)
Un tazón de té verde de China, un yogur magro o cualquier otro lácteo magro o incluso un cítrico.

Cena
- Una buena porción de terrina de verduras (zanahoria, tomate, calabacita…) y *tofu*, con páprika.
- Una ensalada verde (berro, diente de león, espinaca, lechuga, milamores…) con un poco de aceite de oliva y de colza, algunas rebanadas de cebolla, germen de trigo, levadura de cerveza y un chorrito de limón.
- *Mousse* de chocolate con almendras.
- Un vasito de buen vino tinto.

dos fuentes naturales de antioxidantes

LAS FRUTAS: CONCENTRADOS DE "MICRONUTRIENTES PARA LA SALUD"

A LO LARGO DE LOS AÑOS, LAS VIRTU-DES DE LAS FRUTAS Y VERDURAS SE HAN ALABADO, EXAGERADO, OLVIDADO, NEGADO O SUBESTIMADO, AUNQUE DESEMPEÑAN UN PAPEL ESENCIAL EN LA SALUD, YA QUE CONTIENEN LAS TRES VITAMINAS (A, C Y E) Y LOS DOS OLIGOELE-MENTOS ANTIOXIDANTES (SELENIO Y ZINC), MUY A MENUDO CON UN APORTE CALÓRI-CO RELATIVAMENTE BAJO.

Son también ricas en minerales (calcio, fósforo, hierro y potasio), en vitaminas del grupo B y en fibras, elementos indispensables para el funcionamiento óptimo del organismo. Por último, aportan, azúcares naturales de buena calidad nutricional y son, por lo general, pobres en grasas.

Representan, por lo tanto, un concentrado de vitalidad innegable y en la actualidad figuran en primera fila entre los alimentos saludables. Por desgracia, según el estudio Suvimax, en tres cuartas partes de los hombres y dos tercios de las mujeres su consumo es insuficiente.

DEFINICIÓN DE *FRUTA*

Una fruta es el resultado azucarado de una fe-cundación; se define por su cultivo en huertos. Pero su definición varía según si la proporcio-na un científico o un cocinero.

- Así, la berenjena, el chícharo, el tomate y el aguacate son biológicamente frutas, pero con frecuencia se clasifican entre las verduras.
- El melón y la sandía son verduras para el botánico, pero frutas para los consumidores.

CARACTERÍSTICAS GENERALES

- Las frutas son ricas en agua, alrededor de 85% de su peso total, lo que explica su función con frecuencia refrescante y diurética.
- Son ricas en azúcares (sobre todo rápidos), entre 5 y 20% de su peso total, pobres en proteínas, casi desprovistas de grasas, más o menos calóricas (un plátano = 140 calorías; una naranja = 70 calorías).
- Las frutas son ricas en vitamina A o en su precursor, el betacaroteno.
- Las frutas son ricas en licopeno (en mg por cada 100 g): guayaba, toronja rosada, sandía.
- La única fruta rica en luteína y xantina: gua-yaba (jugo).
- Las frutas son ricas en vitamina C.
- Las frutas son más o menos ricas en vitami-na E: la ciruela pasa y el kiwi están a la cabeza, pero muy atrás de la almendra o la avellana.
- Las frutas son en general muy pobres en selenio y zinc.
- Las frutas son también con frecuencia ricas en minerales como el magnesio, sobre todo la nuez de cajú, la almendra y la nuez.
- Las frutas son, por último, ricas en fibras, lo que les permite actuar en la prevención de las enfermedades del colon: a la cabeza se encuentran el higo seco, el albaricoque, el dátil, la ciruela pasa, la frambuesa…

CONSERVACIÓN

En la parte baja del refrigerador, las frutas apenas conservan 50% de sus vitaminas des-pués de cuatro días, de ahí la importancia de comprarlas frescas y consumirlas pronto. La pérdida es casi idéntica si se congelan.

Clasificación de frutas ricas en betacaroteno

- Las frutas ricas en betacaroteno: mango, melón.
- Las frutas con mucho betacaroteno: albaricoque, caqui, maracuyá, papaya.
- Las frutas medianamente ricas en betacaroteno: cereza, ciruela, ciruela pasa, clementina, durazno, pera, sandía.
- Las frutas casi desprovistas de betacaroteno: frambuesa, limón, pera escalfada, toronja, uva.
- Las frutas desprovistas de betacaroteno: lichi, pera en lata.

FRUTAS DE LA ESTACIÓN Y DE LA REGIÓN

Nos parece preferible aconsejarle las frutas (y las verduras) de la estación y de la región. Cuando provienen de países lejanos, a menudo se cosechan verdes para transportarlas más fácilmente y después maduran en las cámaras frías, lo cual no constituye la mejor manera para conservar todos sus principios activos y sus propiedades.

No todos los países de origen tienen la misma legislación. En algunos tal vez se permitan para las frutas abonos prohibidos en el país donde usted vive. Lavarlas y pelarlas no cambiará nada y, de esta manera, se arriesga a perder los "beneficios para la salud" que tiene derecho a esperar, además de producir muchos radicales libres por el contacto con los productos químicos añadidos.

Las frutas proporcionan energía, agua, fibras, minerales y vitaminas. Hoy en día conocemos la importancia de todos estos elementos para el buen funcionamiento del organismo.

La riqueza de las frutas en vitamina C

- Las frutas muy ricas en vitamina C: grosella negra (compota), guayaba.
- Las frutas ricas en vitamina C: limón, clementina, mezcla de jugos de fruta en lata, fresa, kiwi, lichi fresco, mango, naranja, papaya.
- Las frutas con mucha vitamina C: piña, frambuesa fresca o en lata, manzana (o compota), maracuyá, melón, moras (compota), nectarina, toronja, ensalada de frutas hecha en casa.
- Las frutas pobres en vitamina C: albaricoque fresco o en lata, plátano, cereza, ciruela, dátil fresco o en lata, membrillo, pera, ruibarbo (compota), uva.
- Las frutas desprovistas de vitamina C: ciruela pasa, frutos secos, higo, pera en lata.

Algunos inconvenientes de las frutas

La digestión de las frutas y verduras exige la intervención de procesos y sistemas enzimáticos diferentes. Si se consumen crudas durante o al final de la comida, las frutas pueden entorpecer o frenar la digestión, favorecer la producción de gas y ser responsables de inflamaciones del vientre.

Todos los que experimenten estos trastornos digestivos deben absorberlas alejadas de las comidas, ya sea 30 minutos antes o dos horas después.

Si esto resulta insuficiente, le aconsejamos escogerlas muy maduras o consumirlas cocidas.

Si siguen provocando problemas, háblelo con su médico.

Únicamente la piña y en menor grado la manzana contienen sustancias que facilitan la digestión. Por consiguiente, pueden consumirse al final de la comida.

LAS DIEZ "FRUTAS PARA LA SALUD"

Ricas en azúcares naturales, antioxidantes y fibras

Todas las frutas son en general buenas para la salud. Sin embargo, hemos destacado, en forma arbitraria pero no sin argumentos, diez de ellas que, en nuestra opinión, poseen cualidades nutricionales superiores y que, por lo tanto, deben incluirse en la alimentación cotidiana.

Ellas son, clasificadas en orden arbitrario: albaricoque, ciruela (ciruela pasa), fresa, higo, limón, mango, manzana, naranja, toronja, kiwi.

Le aconsejamos, por supuesto, consumirlas con regularidad e integrarlas en una alimentación equilibrada y variada.

Nuestra selección es arbitraria, pero tiene en cuenta algunas realidades:

- La cereza, por ejemplo, podría figurar entre las frutas saludables, pero su consumo anual promedio muy bajo no le permite tener mucho peso en la prevención.
- La guayaba es una mina de vitamina C, pero no forma parte de los hábitos alimenticios de algunos países…

EL ALBARICOQUE

El albaricoquero, árbol originario de China, fue introducido en Occidente por Alejandro Magno. Muchas variedades crecen en clima cálido, pero algunos híbridos se han aclimatado a regiones templadas.

El albaricoque fresco es un fruto medianamente azucarado y calórico, rico en fibras, muy concentrado en betacaroteno, el cual le proporciona su hermoso color anaranjado: puede o debe consumirlo con intensidad todo el verano. Lo encuentra todo el año en su forma seca.

Propiedades médicas

Es al mismo tiempo nutritivo, tonificante y equilibrante nervioso, muy remineralizante y antianémico. Es refrescante y diurético, antidiarreico y suavemente laxante a la vez. Protege la piel y los tejidos gracias a la vitamina A, prepara o facilita el bronceado y mejora la visión nocturna.

Precaución

El albaricoque es una fruta frágil, fácilmente sometida a tratamientos químicos "generosos". Estas sustancias se encuentran en particular muy concentradas en las frutas secas, que le aconsejamos elegir provenientes de un cultivo orgánico. Lave siempre con mucho cuidado el albaricoque antes de consumirlo.

El albaricoque es, después del mango y el melón, la fruta más rica en vitamina A: dos frutas de alrededor de 100 g cada una cubren de sobra nuestras necesidades diarias.

EL LIMÓN

Originario de la India, este cítrico, fruto del limonero, fue llevado a Europa por los árabes, quienes lo plantaron primero en España y Portugal, desde donde se expandió a todas partes a partir del siglo XV. La mayor parte de los limones que se encuentran en los mercados europeos provienen de España, pero el limón amargo, que se consume principalmente en América y las Antillas, fue introducido en esta región por Cristóbal Colón.

Esta fruta aporta mucha vitamina C y vitaminas del grupo B (en particular B3 y B9); por el contrario, casi no contiene betacaroteno ni vitamina E. El jugo de un limón fresco cubre la mitad de las necesidades diarias de vitamina C.

Propiedades médicas

Ayuda a eliminar los depósitos calcáreos (cristales, cálculos…) y contribuye a fijar el calcio. Es bactericida, antiséptico, tonificante y expectorante por su aceite esencial. Estimula la

Salteado de pavo con albaricoques

Ingredientes para 4 personas (prevea 12 horas de remojo)
- 800 g de carne de pavo sin hueso
- 1 docena de albaricoques secos
- 2 cebollas
- 2 dientes de ajo
- 1 cucharadita de raíz de jengibre picada
- 1 cucharada de aceite de oliva extra virgen
- 1 pizca de canela
- Sal y pimienta

Preparación

Coloque los albaricoques secos en un recipiente grande. Rehidrátelos vertiéndoles encima 1.5 l de agua hirviendo. Tape y deje reposar 12 horas.
Pele y rebane las cebollas. Pele y machaque el ajo.
Corte la carne de pavo en cubos grandes. Dórela en una cazuela con aceite de oliva por todos sus lados durante cinco minutos. Agregue las cebollas y el jengibre, mueva, agregue el ajo machacado y deje cocer cinco minutos más. Agregue los albaricoques escurridos, la canela, sal y pimienta, tape y deje cocer a fuego lento durante treinta minutos.
Sirva acompañado de un cereal integral (*bulgur*, mijo, arroz, trigo…) o de hortalizas verdes.

Mousse de limón

Ingredientes para 4 personas
- 2 limones orgánicos
- 1 plátano
- 1 cucharada de fructuosa
- 1 cucharadita de extracto natural de vainilla
- 100 g de queso blanco magro
- 3 claras de huevo
- 1 fresa

Preparación

Pele el plátano. Muélalo en la licuadora con el jugo de los limones, la fructuosa y el extracto natural de vainilla. Agregue el queso blanco magro, mezcle bien para obtener una preparación homogénea.
Bata las claras a punto de turrón. Incorpórelas suavemente a la preparación de manera envolvente.
Vierta en copas individuales, póngalas en el refrigerador una o dos horas, decore con un cuarto de fresa y sirva frío.

Higos escalfados en vino tinto

Ingredientes para 4 personas
- 500 g de higos frescos
- 1/2 litro de vino tinto
- 50 g de fructuosa
- 1 cucharadita de miel biológica
- 1 raja de canela

Preparación
Vierta el vino en una cacerola, agregue la fructuosa, la miel y la raja de canela, ponga a hervir, deje que hierva durante veinte minutos.

Pele los higos, échelos en la cacerola y deje hervir con el fuego bajo durante cinco minutos.

Escúrralos, resérvelos en una fuente.

Deje que la salsa se reduzca hasta obtener un jarabe que verterá sobre los higos.

Deje enfriar, sirva como postre.

Sopa de fresa a la menta

Ingredientes para 4 personas
- 700 g de fresas
- Unas hojas de menta
- Unas hojas de albahaca
- 1 vaso de buen vino tinto
- 1 pizca de nuez moscada rallada
- 1/2 cucharadita de extracto natural de vainilla líquida
- 1 cucharada de fructuosa
- 1 pizca de pimienta

Preparación
Lave las hojas de menta y de albahaca, píquelas finamente, colóquelas en una cacerola, agregue el vino tinto, la nuez moscada rallada, el extracto natural de vainilla, la fructuosa y la pimienta.

Ponga a hervir moviendo constantemente, luego retire del fuego y vierta la preparación en un recipiente.

Lave y quíteles el rabillo a las fresas, sumérjalas en la preparación ya fría. Coloque en el refrigerador por lo menos tres horas.

Vierta en tazones individuales y sirva como postre, decore con algunas hojas de menta.

digestión, quita mucho la sed y es diurético. Por último, es antigotoso y antirreumático.

Precaución

El limón tratado con difenil debe lavarse bien y reservarse para jugo. El limón amargo es más frágil y contiene menos vitamina C.

EL HIGO

Esta fruta, originaria del Mediterráneo, se conoce y utiliza desde la antigüedad por sus propiedades a la vez nutritivas y terapéuticas. Los romanos difundieron su cultivo en toda Europa y los conquistadores se encargaron de introducirla en América. El higo se cultiva en muchos países, sobre todo del sur de Europa (Turquía) o del norte de África. Existen múltiples variedades de diferentes colores: negros (redondos, dulces, más secos, menos frágiles), verdes (muy raros, de carne roja, jugosos y dulces), morados (los mejores pero los más raros, más dulces y más frágiles).

Propiedades médicas

Es tonificante y remineralizante, diurético en su forma fresca. Combinado con ciruela pasa representa el tratamiento de elección para el estreñimiento. Se utiliza tradicionalmente en las afecciones respiratorias por sus virtudes pectorales.

LA FRESA

Es una de las frutas más extendidas y la más consumida en el mundo gracias a su sabor y a su perfume (su nombre proviene además del latín *fragum* = perfume). En la actualidad existen cientos de variedades, cultivadas en todos los países de todos los continentes, con texturas, tamaños, sabores… diferentes.

La encontramos todo el año, pero es en particular sabrosa a finales de la primavera. Contiene un poco de betacaroteno, aporta mucha vitamina B (sobre todo B9) y C, poca vitamina E y no pocas fibras. La fresa es pobre en calorías y poco azucarada, al contrario de lo que se podría imaginar, y más rica en vitamina C que la naranja.

Propiedades médicas

Es refrescante y diurética, quita la sed, es ligeramente laxante, depurativa y remineralizante. Es al mismo tiempo calmante y tónica, útil para los angustiados y los deprimidos. Estimula las reacciones de defensa y posee una acción antiinfecciosa propia. Ayuda a tratar los reumatismos; su utilización es tradicional para las afecciones de gota.

Precaución

- Forma parte de los alimentos que liberan histamina, lo que la hace alergizante y responsable de urticarias en algunas personas.
- La fresa es un fruto difícil de conservar, por consiguiente elija la categoría "extra"; no las amontone, no las lave ni les quite los rabillos con anticipación.

EL KIWI

Inicialmente es el pequeño fruto de una liana salvaje sarmentosa ornamental, originaria de China. Nueva Zelanda la importó a principios del siglo XX y, a fuerza de trasplantes logró obtener más tarde el fruto que conocemos en la actualidad. Le dio el nombre de su pájaro emblemático y luego la exportó hacia Europa a partir de la década de 1950.

En nuestros días existe una docena de variedades. Los países pioneros en producción de kiwi son Italia, Nueva Zelanda y Chile, así como Estados Unidos, Francia y Argentina. Esta fruta contiene poco betacaroteno, vitaminas B (B1, B2, B6 y B9), enormes cantidades de vitamina C, mucha vitamina E y muy bajo aporte energético (40 calorías por un fruto mediano).

Un solo kiwi rebasa, con mucho, la cantidad diaria recomendada de vitamina C y un cuarto de los aportes recomendados de vitamina E.

Propiedades médicas

Es tonificante, revitalizante, muy reminera-lizante. Favorece la digestión, es diurético y suavemente laxante... siempre y cuando se eliminen las pequeñas semillas irritantes para algunos intestinos sensibles.

Precaución

Como muchas frutas, a veces causa alergias más o menos graves. A diferencia de muchas frutas, se vuelve más dulce cuando madura a temperatura ambiente.

EL MANGO

Originario de las selvas de la India, el manguero, durante mucho tiempo conocido únicamente en Asia, se introdujo en África en el siglo XVI, y luego en Centroamérica y América del Sur gracias a los navegantes portugueses. El mango, que hoy en día se cultiva en todos los países tropicales en cientos de variedades diferentes, está disponible prácticamente todo el año.

Es un fruto medianamente calórico y muy rico en elementos nutritivos, de ahí su importancia: contiene sobre todo betacaroteno, las vitaminas C y E, así como vitaminas del grupo B.

Propiedades médicas

Quita la sed, es muy digestivo, diurético, lige-ramente laxante si no está maduro. Estimula las reacciones de defensa y tonifica el orga-nismo.

Precaución

Como muchas frutas tropicales, a veces es res-ponsable de alergias más o menos graves.

LA NARANJA

Originaria de China, se conoce desde hace más de 4 000 años en sus formas amargas y medicinales. La naranja dulce llegó a Europa traída por los cruzados.

Durante mucho tiempo, se reservó y cultivó para la corte, considerada una fruta de lujo hasta el siglo pasado; se democratizó apenas hace unas decenas de años.

Es el fruto del naranjo, del cual existen dos variedades:

- una dulce, que produce el fruto jugoso, azu-carado, acidulado que todos conocemos.
- la otra, amarga, que produce el aceite esen-cial de azahar y el agua de azahar.

En la actualidad, es una de las frutas más con-sumidas en todo el mundo. Está disponible en casi todos los mercados todo el año, aunque se considera una fruta de invierno. Aporta un poco de betacaroteno, mucha vitamina C, algo de vitamina E, vitaminas del grupo B (B3, B5 y, sobre todo, B9), con un débil aporte calórico: es una fruta por completo **indispensable**.

Una naranja mediana cubre la totalidad de los requerimientos diarios recomendados por los científicos. Esta fruta representa además la principal fuente de vitamina C en muchos países.

Propiedades medicinales

Es tónica y antiinfecciosa, refuerza las reac-ciones de defensa y es muy remineralizante. Quita la sed, es refrescante, diurética, digesti-va y suavemente laxante. Es antiespasmódica, protege los vasos capilares y los sanguíneos, drena la piel. Mejora la fijación de hierro, lo que es importante en las mujeres con mens-truaciones abundantes. Su riqueza en calcio bien asimilado la convierte en una buena op-ción para las personas a las que no les gustan o no soportan los lácteos. Finalmente, el agua de sus flores (azahares) es calmante y facilita el sueño.

Precaución

A veces resulta difícil de digerir para algunas personas, por lo que debe consumirse fuera de las comidas.

Mousse de kiwi con limón

Ingredientes para 4 personas
- 4 kiwis bien maduros
- 1 limón orgánico
- 2 cucharadas de fructuosa
- 250 g de queso blanco magro
- 3 claras de huevo
- 1 pizca de canela en polvo

Preparación
Pele los kiwis, córtelos en dados y quítele las semillas.

Lave el limón, exprima el jugo y reserve algunos pedazos de cáscara. Ponga en el vaso de la licuadora los dados de kiwi, el jugo de limón, la fructuosa, el queso blanco y la canela en polvo. Licue.

Bata las claras a punto de turrón. Incorpórelas suavemente a la preparación a base de kiwi.

Vierta en copas, coloque en el refrigerador por lo menos una hora, decore con una cáscara de limón y sirva.

Ensalada de mango con camarones rosados

Ingredientes para 4 personas
- 250 g de camarones rosados cocidos y sin cáscara
- 2 mangos
- 1 limón orgánico
- 1 cucharadita de jengibre picado
- 1 manojo chico de perejil
- Algunas hojas de menta
- 1 cucharada de aceite de girasol
- Sal y pimienta

Preparación
Enjuague y seque los camarones sin cáscara, corte los mangos en tiras y colóquelos en una ensaladera. Agregue el aceite de girasol, el jugo de limón, la menta y el perejil picados, el jengibre rallado, sal y pimienta; revuelva con cuidado. Coloque en el refrigerador por lo menos media hora. Sirva como entrada.

LA TORONJA

Este fruto, originario de Asia, se conoce desde hace milenios. La toronja a la que aquí nos referimos es perfumada y dulce, probablemente un híbrido de toronja y naranja: la verdadera toronja, que se encuentra sobre todo en Asia y Polinesia, es un fruto menos agradable, amargo y lleno de semillas.

La toronja es una fruta grande, muy poco calórica (una porción mediana contiene 60 calorías) y poco azucarada, por ello es muy útil en las dietas para adelgazar. Es rica en vitamina C, contiene poco betacaroteno (salvo la variedad rosada que es más rica) y muy poca vitamina E.

Media toronja proporciona las tres cuartas partes de vitamina C que se recomienda consumir al día.

Propiedades medicinales

Estimula las reacciones de defensa, posee una acción tónica similar a la del limón y la naranja. Quita la sed, es refrescante y diurética. Estimula la digestión, drena el hígado y se digiere mucho mejor que la naranja. Protege los vasos capilares y sanguíneos.

Precaución

Suelen tratarla con difenil, que por fortuna se concentra en la cáscara, que raramente se consume; se recomienda por lo tanto que no la muerda para pelarla.

Por otra parte, el jugo de toronja interfiere en el efecto de muchos medicamentos; por consiguiente, no los mezcle y, sobre todo, no lo utilice para tragarlos.

LA MANZANA

Originaria de Asia, es el fruto del manzano, uno de los árboles frutales más antiguos y el más difundido en todo el mundo. Se utiliza por sus propiedades medicinales desde los primeros años de la antigüedad, de ahí que el dicho "Comamos manzanas todo el año y la enfermedad sufrirá un desengaño" se ha colado en la historia.

Existen miles de variedades para todos los gustos, todas las estaciones, todos los usos (cocción, jugo, repostería, comida…). Citemos la Golden (amarilla, muy apreciada por su consistencia suave, dulce y perfumada), la Granny Smith (verde y firme pero jugosa y acidulada), la California (roja, dulce, acidulada y perfumada), la Boskoop (roja, para la cocción en el horno)…

La manzana es una fruta de poco contenido calórico, no muy grande y medianamente azucarada, lo que la hace una aliada útil en las dietas para adelgazar. Contiene un poco de betacaroteno, vitaminas del grupo B, poca vitamina C, mucha vitamina E y casi todos los flavonoides y fibras. Conserva sus propiedades después de la cocción y así se digiere perfectamente. Sin embargo, tenga cuidado con el jugo de manzana, pues aunque es una bebida natural tiene mucha azúcar.

Propiedades medicinales

Tonifica, combate el cansancio y tranquiliza. Posee una acción refrescante y diurética; ayuda a la digestión, calma los ardores estomacales y constituye un excelente tentempié. Cocida laxa y cruda es antidiarreica. Es útil en las afecciones reumáticas, la artritis, la tendinitis… y combate la inflamación: colitis, cistitis, gastritis, etcétera.

Precaución

La vitamina C está concentrada sobre todo en la cáscara… al igual que los pesticidas y otros fertilizantes químicos; por ello, más que nada, le aconsejamos pelarla si no es de origen orgánico.

Algunas recomendaciones importantes respecto a las frutas

Incluya frutas **diariamente** en su alimentación:

- Escójalas "de la estación" y "de la región", evitando la monotonía.
- Verifique que estén sanas, bien coloreadas y sin manchas.
- Lávelas cuidadosamente sin dejarlas remojar demasiado tiempo.
- Siempre que sea posible, cómalas **completas**, con la pulpa, la cáscara y las semillas.
- Un jugo de fruta aumenta con rapidez la glucemia, lo que no hace la fruta entera cruda y menos aún si está cocida.
- Si las tolera bien, "debe" consumir alrededor de 300 g de fruta, lo que corresponde a dos frutas diarias. Acostumbre a sus hijos a comerlas desde su más tierna infancia de manera que sea casi un reflejo.
- Si presenta alguna molestia intestinal, escójalas, para empezar, muy maduras.
- Si tiene dificultad para digerirlas, consúmalas fuera de las comidas.
- Si las molestias persisten, cómalas cocidas, pero cabe señalar que la cocción destruye la vitamina C, aunque preserva las otras dos vitaminas antioxidantes; también es bueno comer frutas en compotas, pastel de cereza, al horno… siempre y cuando no les agregue azúcar.
- Puede combinar una fruta cruda y una cocida a lo largo del día, lo que beneficia la salud.
- Un puñado de frutas secas o de oleaginosas de vez en cuando es beneficioso.
- Lleve una manzana a la oficina para evitar la tentación de los chocolates en caso de sentir un hueco en el estómago.
- Las oleaginosas suelen, naturalmente, ponerse rancias; manténgalas alejadas de la luz y del calor.

Ensalada de hinojo con naranja y canela

Ingredientes para 4 personas
- 4 bulbos pequeños de hinojo
- 1 lechuga
- 2 naranjas orgánicas
- 1 limón orgánico
- 60 g de queso blanco magro
- 1 cucharada de aceite de germen de trigo
- 1/2 cucharadita de canela en polvo
- Sal y pimienta

Preparación
En una cacerola grande, ponga a hervir mucha agua con sal. Quite las partes indigestas de los bulbos de hinojo. Enjuáguelos, luego blanquéelos en el agua salada durante minuto y medio. Escúrralos, séquelos y píquelos en trozos no muy finos. Reserve en una ensaladera grande. Lave y limpie la lechuga, escúrrala, rebane finamente las hojas y mézclelas bien con el hinojo picado. Lave y pele una naranja, córtela en cuartos y agréguelos a la preparación anterior.

En un tazón, prepare una salsa con el jugo de la otra naranja y del limón previamente lavados, el queso blanco y el aceite de germen de trigo; agregue la canela, sal y pimienta y mezcle.

Vierta esta salsa sobre la preparación, mezcle suavemente y sirva de inmediato.

Ensalada de toronja

Ingredientes para 4 personas
- 2 toronjas
- 1 naranja
- 2 aguacates
- Unas hojas verdes para ensalada al gusto
- 1 cucharada de agua de azahar
- 2 cucharadas de aceite de oliva extra virgen
- 1 cucharada de vinagre balsámico
- Sal y pimienta

Preparación
Limpie, lave y escurra centrifugando las hojas verdes para ensalada. Cubra con ellas el fondo de una ensaladera. Pele las toronjas. Córtelas en cuartos. Corte la pulpa del aguacate en tiras. Ponga todo sobre las hojas verdes de ensalada. Rocíelos con el jugo de naranja. En un tazón, bata juntos el aceite de oliva extra virgen, el agua de azahar y el vinagre balsámico. Salpimiente. Vierta esta salsa en la ensaladera, mezcle bien y sirva de inmediato.

Pastel de manzana con canela

Ingredientes para 6 personas
- 5 manzanas
- 5 huevos
- 150 g de harina de trigo integral
- 100 g de fructuosa
- 1/2 vaso mediano (20 cl) de aceite de oliva extra virgen
- 1 sobrecito de levadura
- 1 cucharadita de canela en polvo
- 1/2 taza de pasitas

Preparación
Precaliente el horno a 200 °C.
Rehidrate las pasitas en un tazón pequeño de agua tibia durante treinta minutos.
Vacíe los huevos en un recipiente, agregue la fructuosa, el aceite de oliva extra virgen, la harina de trigo integral, la levadura, la canela y las pasitas rehidratadas. Mezcle bien para obtener una preparación homogénea.
Lave y pele las manzanas, córtelas en cubos y agréguelas a la preparación.
Coloque todo en un molde redondo previamente engrasado y enharinado. Deje cocer alrededor de una hora, saque el pastel del horno. Puede servirlo tibio o frío, como postre o en la merienda.

LA CIRUELA Y LA CIRUELA PASA

Fruta de verano originaria de China, tanto los egipcios como los romanos la conocieron. Ya era muy popular en la Edad Media, pues los cruzados la trajeron de Siria. Existen varios centenares de variedades, formas, colores y sabores diferentes, entre ellas: la reina claudia (verde, jugosa, de pulpa suave, muy dulce), la mirabel (amarillo anaranjada, muy dulce cuando está madura), la *quetsche* o azul (morada, de pulpa firme, más ácida pero menos dulce)…

La ciruela pasa es la forma secada en el horno o al sol.

La ciruela es una fruta poco calórica en su forma fresca, muy rica en minerales y conserva sus propiedades aunque la cuezan.

La ciruela pasa, por el contrario, es un fruto mucho más energético (tres kilos de ciruelas dan un kilo de ciruelas pasas).

La ciruela contiene betacaroteno, muy poca vitamina C, un poco de vitamina E, vitaminas del grupo B (B3 y B9) y mucha fibra.

Propiedades medicinales

La ciruela quita la sed, es diurética, descongestionante, energética y muy remineralizante. La ciruela pasa es muy laxante gracias a sus fibras de celulosa, que aceleran el tránsito intestinal, y a la pectina, que aumenta el volumen de las heces.

Un consejo para combatir el estreñimiento

Deje remojar cinco ciruelas pasas en medio vaso de agua toda la noche, tápelas, cómalas al día siguiente por la mañana y bébase también el agua.

Si esto no es suficiente, agregue dos o tres higos o uno o dos dátiles al acostarse.

LAS FRUTAS SECAS Y LAS OLEAGINOSAS

A veces se confunden estas dos categorías de frutas, ya que las segundas, de difícil conservación, a menudo se secan y se denominan entonces "frutas secas". La almendra, la avellana y el pistache son oleaginosas; un albaricoque seco o una ciruela pasa, que acabamos de estudiar, son, por el contrario, frutas secas.

Estos dos grupos de frutas son concentrados de salud, energía, minerales, vitaminas, fibras… pero sólo ocasionalmente puede incluirlas en sus comidas, pues son muy calóricas.

LAS FRUTAS SECAS

Muy ricas en azúcares naturales y en fibras

Ya hablamos del albaricoque, el higo y la ciruela pasa, muy importantes para la salud.

Importancia de las frutas secas

Son muy calóricas, ricas en azúcares, pobres en proteínas; no contienen grasas, son muy ricas en sales minerales (potasio, calcio, hierro y magnesio) y en fibras. Contienen vitamina A y carecen de vitamina C.

LAS OLEAGINOSAS

Muy ricas en minerales y en vitamina E

Son frutas ricas en calorías, en especial en grasas, y de ellas se extrae aceite (*olea* = aceite). Son frutas saludables por su concentración en minerales y en vitamina E, siempre y cuando se utilicen con moderación. Su principal inconveniente reside en su aporte calórico "considerable". Entre ellas tenemos la almendra (el fruto más útil), la avellana, el cacahuate, la nuez y el pistache. No hay que abusar de ellas.

Importancia de las oleaginosas

Son sumamente ricas en grasas y calorías, muy ricas en proteínas, fibras, ácidos grasos no saturados, vitamina E y minerales (zinc, magnesio, potasio…).

LAS VERDURAS, RICAS EN ANTIOXIDANTES, MINERALES Y FIBRAS

LAS VERDURAS POSEEN IMPORTANTES PROPIEDADES NUTRICIONALES, PUES APORTAN CONSIDERABLES CANTIDADES DE MINERALES, OLIGOELEMENTOS, VITAMINAS Y FIBRAS INDISPENSABLES PARA LA BUENA SALUD DEL ORGANISMO.

DEFINICIÓN DE *VERDURA*

La verdura puede definirse como la parte comestible de una planta cultivada en huerta, ya sea que se trate de bulbos (cebolla…), hojas (lechuga…), flores (col…), frutos (tomate…), raíces (rábano…) o tallos (espárragos…).

De manera esquemática, se dividen en verduras "frescas" o "verdes", que a menudo se consumen crudas, y en verduras secas, cereales, leguminosas, que por lo general necesitan una cocción más o menos larga.

CARACTERÍSTICAS DE LAS VERDURAS

- Las verduras poseen cierto número de propiedades comunes: muchas de ellas son poco calóricas, contienen mucha agua, azúcares (de los cuales sólo una parte se asimila), proteínas (de poca calidad nutricional) y cantidades insignificantes de grasas.
- Son ricas en vitamina A o en su precursor, el betacaroteno (zanahoria, diente de león, espinaca, perejil, pimiento…), en licopeno (tomate…), en luteína (berros, col, espinaca…); contienen un poco de vitamina C (acedera, col, perejil, pimiento rojo…) pero menos que las frutas, y poca vitamina E, mucho menos que los aceites y las oleaginosas.
- Contienen un poco de selenio y zinc, y también de calcio, hierro, magnesio y potasio. Por su alto contenido en fibras previenen padecimientos del colon.

SELECCIÓN Y CONSERVACIÓN DE MINERALES Y VITAMINAS

Algunas legumbres y verduras crudas deben formar parte de su alimentación, ya que poseen virtudes medicinales indiscutibles, pero deben ser de buena calidad.

Actualmente los cultivos "intensivos" abusan de los fertilizantes y pesticidas, desnaturalizando los alimentos, mermando sus micronutrientes y, por supuesto, sus propiedades. A veces se venden todavía verdes, cuando aún no contienen suficientes vitaminas y minerales, o a veces están demasiado impregnadas de productos químicos más o menos tóxicos.

Por consiguiente, es importante vigilar su proveniencia y dar preferencia a las verduras producidas mediante un cultivo biológico. No necesita comer todo "orgánico", comience primero tan sólo por las frutas que le gustaría comer con cáscara, algunas verduras frágiles o que se consumen crudas y los huevos.

Las verduras ricas en caroteno, en particular si tienen hojas, no deben quedarse al aire libre, pues la oxidación destruye su vitamina A. Las verduras ricas en vitamina C no deben cocerse, pues el calor la neutraliza. Los alimentos congelados pierden su vitamina C; así, después de seis meses de congelación, el tomate perdió la mitad de su vitamina C, y el pepino, tres cuartas partes.

Debe consumir las verduras frescas o durante el primer mes de su congelación. Cómalas crudas siempre que sea posible.

INCONVENIENTES DE LAS VERDURAS

El abuso de verduras provoca irritación intestinal, hinchazón de vientre y suele ocasionar inflamación en las personas sensibles (colíticos).

Le aconsejamos que, en ese caso, cueza las verduras y evite todas las que contienen fibras muy duras (*véase* el capítulo correspondiente).

LAS DIEZ VERDURAS SANAS POBRES EN CALORÍAS Y RICAS EN ANTIOXIDANTES

Las verduras en general son buenas para la salud; sin embargo, hemos seleccionado las diez que, a nuestro juicio, poseen cualidades nutricionales superiores.

Las mencionamos a continuación por orden alfabético: ajo, brócoli, calabaza, col, ejote, espinaca, perejil, pimiento, tomate, zanahoria.

Le aconsejamos consumirlas con regularidad, integrándolas en una alimentación equilibrada y variada.

La sopa

Casi relegada a las cárceles en las grandes ciudades o reemplazada por un sobre deshidratado, debería incluirse más seguido en nuestros menús, ya que es una verdadera fuente de vitaminas, oligoelementos y fibras. Resulta en particular útil y adecuada para los dos periodos extremos de la vida: infancia y vejez.

EL AJO

Originaria de Asia Central, esta planta aromática hortense se cultiva en todas partes del mundo desde hace milenios.

En la Antigüedad, se consumía por sus virtudes tonificantes y antisépticas; en muchos países constituía una verdadera panacea, sinónimo de buena salud. Se daba tanto a los esclavos constructores de pirámides como a los atletas antes de las pruebas o a los soldados antes de las batallas. Las investigaciones científicas más recientes han confirmado, además, su importancia para el fenómeno de agregación plaquetaria y sus grandes propiedades preventivas cardiovasculares.

Sus potentes efectos sobre el aliento provocaron que se le hiciera un poco a un lado, aunque este alimento extraordinario debería incluirse en forma aún más extensa en nuestros platos.

En la actualidad se cultiva una treintena de variedades, de las cuales tres son las principales, clasificadas en función de su color: blanca, violeta y rosa (que se conserva más tiempo).

Contiene selenio, zinc, vitaminas B y C, fibras y mucho azufre.

Efecto anticanceroso

El consumo diario de un diente de ajo disminuye en aproximadamente 20% los niveles de colesterol malo (LDL) y reduce el riesgo de cáncer digestivo.

En China, en una región donde el consumo es de 20 g diarios, la frecuencia de cáncer de estómago es trece veces más baja que en cualquier otra parte. Este riesgo es únicamente dos veces más débil en los que sólo consumen 4 g diarios. El ajo contiene, en efecto, compuestos de azufre y polifenoles que impiden el inicio del proceso de cancerogénesis.

ALIOLI

Ingredientes para 10 personas
- 1 litro de aceite de oliva extra virgen
- 10 dientes de ajo pelados
- 3 yemas de huevo
- Sal y pimienta molida

Preparación
Machaque en un mortero los dientes de ajo con la mano del mortero; agregue las yemas de huevo.
Continúe como para hacer una mayonesa, vertiendo lentamente el aceite de oliva en un chorrito, revolviendo la preparación para que se vuelva homogénea y consistente.
Degústela con verduras cocidas al vapor (zanahoria, papa, ejote…), huevos duros, pescado, mariscos, carne fría, etcétera.

Propiedades medicinales

Conoció su momento de gloria antes de la era de los antibióticos (en especial durante las guerras), por sus acciones antibacteriana y viral, en particular en el intestino, los pulmones, las vías urinarias y el estafilococo dorado; la antigua costumbre, que consistía en llevar alrededor del cuello algunos dientes de ajo en un saquito para protegerse de infecciones, no era, finalmente, una simple creencia, pues los aceites esenciales de la planta, con grandes propiedades antiinfecciosas, penetran a través de la piel.

Es muy tónico en general… y en particular de la sexualidad. Protege el corazón y los vasos sanguíneos, disminuyendo la presión arterial y el colesterol, fluidifica la sangre y tiene una acción ligeramente diurética. Es uno de los mejores remineralizantes que existen.

EL BRÓCOLI

Variedad de coliflor originaria de Italia que, por consiguiente, forma parte de las verduras-flores y, más en particular, de las crucíferas, lo que la sitúa de inmediato entre las que tienen grandes virtudes nutricionales. Es rico en calcio y azufre, medianamente rico en potasio y en hierro. Contiene un poco de betacaroteno, muchas vitaminas C y E, vitaminas B (B3, B6 y, sobre todo, B9) y fibras. Esta verdura, muy poco calórica y poco azucarada a la vez, debería consumirse mucho más seguido de lo que se consume.

Propiedades medicinales

Es tónico, digestivo, remineralizante, depurativo y laxante. Por su riqueza en calcio es muy recomendable para los niños, los ancianos (siempre que no tengan exceso de ácido úrico) y para prevenir la osteoporosis.

> Su riqueza en ácido úrico hace que esté contraindicado para los gotosos y los pacientes con antecedentes de cálculos renales de urato.

LA ZANAHORIA

La zanahoria, un tubérculo originario de Afganistán, se volvió muy popular a fines del siglo pasado, gracias a su trasplante y a su hermoso color anaranjado. Además, en la actualidad es una de las verduras más consumidas en el mundo.

Debe una parte de su renombre, primero, a Bugs Bunny, luego, más en serio, a los trabajos científicos más recientes que han confirmado su importancia considerable para la salud. Contiene potasio, es muy rica en calcio y vitaminas B (sobre todo B9), pero tiene pocas vitaminas C y E. Es un alimento relativamente poco energético, pero muy dulce. Merecería que se la utilizara con mayor frecuencia de lo que ahora se emplea, lo que es fácil, ya que está disponible en los mercados todo el año.

La zanahoria es, junto con el hígado animal, el alimento más concentrado en betacaroteno.

Propiedades medicinales

Es tónica, muy remineralizante, vermicida y diurética. Atrapa el colesterol gracias a la pectina. Es útil para combatir ciertas anemias gracias a su riqueza en vitamina B9 (ácido fólico). Combate eficazmente la diarrea en los niños y el estreñimiento en los adultos.

Está indicada en la mayoría de los casos de inflamación del colon. Igualmente ayuda a eliminar el ácido úrico, lo que es útil para los gotosos. Mejora, además, la visión nocturna gracias a la acción de la vitamina A.

> El consumo cotidiano de 100 g de zanahorias cubre la cantidad necesaria diaria de vitamina A y disminuye a la mitad el riesgo de cáncer.

Ensalada de brócoli

Ingredientes para 4 personas
- 400 g de brócoli crudo
- 1 corazón de apio
- 200 g de arroz cocido
- 1 cebolla dulce
- 2 dientes de ajo
- 1 cucharada de aceite de oliva extra virgen
- 1 cucharada de aceite de germen de trigo
- 1 cucharada de vinagre balsámico
- 1 manojo de perejil

Preparación

Divida las cabezas de brócoli en pequeños racimos, lávelos, séquelos cuidadosamente. Lave el corazón de apio, pártalo en trocitos. Pele y pique la cebolla, pele y machaque el ajo. Ponga el arroz cocido en una ensaladera, agregue los racimos de brócoli, el apio, la cebolla y el ajo. Para preparar la salsa mezcle el aceite de oliva extra virgen, el aceite de colza y el vinagre balsámico en un tazón. Salpimiente. Vierta esta preparación sobre la ensalada, espolvoree con el perejil picado y sirva.

Crema de zanahoria con almendras

Ingredientes para 6 personas
- 1 kg de zanahorias
- 1 litro de leche descremada
- 40 g de almendras fileteadas
- 1 manojo chico de perejil
- Sal y pimienta

Preparación

Pele las zanahorias, pártalas en trozos, póngalas a cocer brevemente al vapor para que conserven sus propiedades nutricionales.
Cuando estén cocidas, colóquelas en una cacerola, vierta la leche, salpimiente, deje cocer aproximadamente diez minutos.
Muela la preparación en la licuadora para obtener una mezcla consistente.
Deje cocer esta mezcla otros diez minutos, vierta en una sopera, espolvoree la superficie de la crema con las almendras fileteadas y el perejil y sirva sin demora.

Conservación

La zanahoria, al igual que los demás tubérculos y bulbos (cebolla, nabo, papa, betabel…), puede conservarse mucho tiempo… pero en un lugar oscuro, fresco y bien ventilado.

LA COL

Originaria de Asia menor y cultivada desde la antigüedad por sus propiedades nutricionales y terapéuticas, esta verdura invernal y campestre, de sabor fuerte, es la base de una famosa sopa. En algunos países de América Latina también se conoce con el nombre de *repollo*. Las investigaciones más recientes han confirmado sus legendarias virtudes terapéuticas; además, formaba parte de cargamentos de navíos, ya que los buenos capitanes sabían que protegía a sus tripulaciones.

Las variedades son tan numerosas (varios centenares) que conviene hablar no de la col, sino de la gran familia de las coles: blanca, roja, verde, de China, de Bruselas, coliflor, colinabo… Se encuentran disponibles en los mercados durante todo el año, ya que existen coles de primavera, de verano y de invierno.

Las crucíferas, a las que pertenecen el brócoli, la col, el berro y el colinabo, deberían consumirse mucho más, pues son ricas en antioxidantes (sobre todo vitamina C), minerales (sobre todo azufre, calcio, potasio), fibras y ácido linolénico.

Precaución

Una porción de 200 g de coliflor cubre las necesidades cotidianas de vitamina C. Su cocción, sin embargo, hace que se pierdan tres cuartas partes de la vitamina C y la cuarta parte restante suele desecharse junto con el agua de la cocción.

La mejor manera de aprovechar las propiedades de la col es comerla cruda, sazonada con un chorrito de aceite de oliva, jugo de limón, ajo y perejil.

Propiedades medicinales

Es energética, revitalizante, reequilibrante, muy remineralizante. También resulta diurética y ligeramente laxante. Además, se muestra muy activa contra los dolores estomacales y las inflamaciones del tubo digestivo: desde hace mucho tiempo ha formado parte del tratamiento de úlceras.

Es importante para prevenir la osteoporosis o tratar las descalcificaciones. Constituye un arma en las anemias por deficiencia de hierro. Drena la piel y los pulmones gracias a su riqueza en azufre.

En fin, es un excelente antirreumático; la hoja de col en cataplasma se emplea desde hace mucho tiempo en el tratamiento de las grandes crisis dolorosas.

Pequeños consejos

La presencia de azufre y de fibras la hace difícil de digerir para las personas con intestinos frágiles.

Así pues, para mejorar la tolerancia, es aconsejable quitar las hojas externas más duras y el troncho fibroso, después hay que dejar cocer el corazón en una cacerola destapada para eliminar el azufre volátil.

La digestión difícil de algunas verduras (col, coliflor, cebolla, ajo, puerro…) se puede mejorar a menudo mediante el cocimiento suave al vapor.

LA ESPINACA

Esta planta hortense, originaria de Persia e introducida en Europa por los árabes en la Edad Media, ya había sido honrada por Catalina de Médicis, quien ordenó integrarla a los platillos reales, antes de que Popeye el marino la popularizara.

Aun cuando contiene menos hierro del que estos dibujos animados hacen suponer, no deja de ser una de las verduras sanas más importantes: la espinaca representa, de hecho, una de las mejores relaciones "calidad-peso", ya que aporta muchos minerales (calcio, zinc,

Col rellena con echalotes

Ingredientes para 4 personas
- I col verde
- 4 echalotes
- 2 cebollas
- 2 dientes de ajo
- I50 g de champiñones cultivados
- 3 tomates
- I pizca de nuez moscada
- I rama de tomillo
- I manojo de perejil
- Unas hojas de laurel
- Sal y pimienta

Preparación

Pele y pique los echalotes y las cebollas. Pele y machaque el ajo. Monde y lave los champiñones, séquelos cuidadosamente y píquelos. Lave los tomates, córtelos en cubos. Lave el perejil y córtelo. Haga un relleno con todo. Salpimiéntelo. Añada el tomillo, el laurel y la nuez moscada. Lave la col verde, blanquee las hojas, séquelas y luego reconstruya la col. Intercale el relleno entre las hojas, luego átela con dos hilos colocados en cruz. Coloque en una olla y deje cocer durante dos horas.

Espinacas en ensalada

Ingredientes para 4 personas
- 500 g de espinacas tiernas
- 2 huevos
- 2 tomates
- 2 cucharadas de aceite de oliva extra virgen
- I cucharada de jugo de limón
- I manojo chico de cebollines
- I manojo chico de perejil
- Sal y pimienta

Preparación

Ponga a cocer los huevos. Durante ese tiempo, lave con cuidado las espinacas, límpielas y escúrralas perfectamente. Si no están tiernas, póngalas a blanquear durante dos minutos en una gran cantidad de agua hirviendo con sal. Corte los tomates en cubos. Lave y seque los cebollines y el perejil, rebánelos finamente. En un recipiente, prepare la salsa mezclando el aceite de oliva, el jugo de limón, los cebollines, el perejil, sal y pimienta. Pele los huevos y rebánelos en rodajas. Coloque las espinacas en una ensaladera con los cubos de tomate y las rodajas de huevo, vierta la salsa encima, mezcle con delicadeza y sirva.

magnesio, potasio), fibras y muchísimas vitaminas antioxidantes (sobre todo betacaroteno y vitamina C), con un mínimo de calorías.

Propiedades medicinales

Es muy tónica y remineralizante, ligeramente diurética y laxante, y "limpia" el tubo digestivo. La espinaca es la verdura que posee el más fuerte poder antioxidante. Sirve como complemento para combatir algunas anemias.

Inconvenientes

Por su riqueza en ácido oxálico (500 mg por cada 100 g) y en ácido úrico (70 mg por cada 100 g) no se recomienda en pacientes afectados de gota o de algunos cálculos renales.

Su concentración elevada en nitratos impone medidas de preparación y de conservación muy estrictas: debe comprarlas lo más frescas posible, lavarlas sin dejarlas remojar mucho, prepararlas rápidamente, escurrirlas bien y consumirlas de inmediato sin conservarlas **nunca** cocidas para el día siguiente. Por las mismas razones, no compre espinaca precocida. Además, consúmala de preferencia cruda, en ensalada.

EL EJOTE

Originario de América, cultivado por los aztecas y los mayas, el frijol, del que existen actualmente 200 variedades distintas, fue llevado a Europa por los conquistadores que, sin embargo, sólo comían los granos frescos o secos.

En el siglo XVIII, los italianos fueron los primeros que tuvieron la idea de comer la vaina tierna (antes de la formación de los granos), y entonces se inició la moda de los ejotes.

Este alimento adelgazante es una hortaliza sana y muy buena que proviene de especies enanas cultivadas en todo el mundo; muy poco calórica, bastante rica en fibras de buena calidad (pectina), en vitaminas (sobre todo betacaroteno y vitamina C) y minerales antioxidantes (zinc).

Propiedades medicinales

Es reconstituyente y muy remineralizante. Combate infecciones, es depurativa, ligeramente diurética y posee un fuerte poder de saciedad. Atrapa el colesterol gracias a la pectina y es útil para prevenir y tratar la descalcificación (osteoporosis).

200 g de ejotes proporcionan la mitad de los aportes diarios de betacaroteno recomendados por los científicos

EL PEREJIL

Esta planta aromática, originaria del este de Europa, con propiedades maléficas en un lugar y medicinales en otro, es uno de los alimentos más importantes para la salud, ya que tal vez se trate del que contenga mayor concentración de nuestras tres vitaminas antioxidantes: por desgracia no se utiliza muy a menudo, a no ser por su color y sus ramas rizadas muy decorativas.

Propiedades medicinales

Es estimulante, muy remineralizante, aperitivo, depurativo y ligeramente diurético. Facilita, además, la digestión, lo que le sirve, por ejemplo, para acompañar la mantequilla del caracol o los mejillones rellenos.

EL PIMIENTO

Originario de Centroamérica, fue introducido en Europa por Cristóbal Colón. Esta verdura-fruta es producto de una variedad de pimientos dulces. Pertenece a la familia de la berenjena, la papa y el tomate, y no a la del pimiento de Cayena (pequeño, puntiagudo y picante), como podría imaginarse.

Se convirtió en una verdura tradicional de la cocina mediterránea… y la base del *gulash*, el plato nacional húngaro.

Ejotes con cebolla

Ingredientes para 4 personas
- 800 g de ejotes frescos o, en su defecto, congelados
- 2 cebollas dulces chicas
- 1 tomate bien maduro
- 1 pizca de páprika
- 1 manojo chico de perejil
- 1 cucharada de aceite de oliva extra virgen
- Sal y pimienta

Preparación
Ponga a cocer los ejotes al vapor de manera que queden crujientes. Durante ese tiempo, pele las cebollas dulces y rebánelas en rodajas. Corte el tomate en cubos. Lave, seque y pique el perejil.

Cuando los ejotes estén cocidos, escúrralos y vacíelos en una olla grande que contenga una cucharada de aceite de oliva, agregue las cebollas dulces picadas, los cubos de tomate, la páprika, el perejil, sal y pimienta, mueva, deje cocer exactamente tres minutos y sirva en seguida.

Tabule

Ingredientes para 4 personas
- 200 g de sémola de trigo
- 4 tomates bien maduros
- 2 cebollas
- 2 limones
- 1 manojo de perejil
- Unas cuantas hojas de menta
- 6 cucharadas de aceite de oliva
- Unas cuantas pasitas secas
- Sal y pimienta

Preparación
Coloque las pasitas secas en un tazón, cúbralas con agua tibia.

Lave la sémola de trigo con agua fría, escúrrala en un colador muy fino, dispóngala en una ensaladera, vierta aproximadamente 15 cl de agua, luego deje durante una hora en el refrigerador para que adquiera volumen. Lave los tomates, el perejil y la menta, séquelos con cuidado.

Pique finamente el perejil y la menta.

Corte los tomates en cubitos, limpie y pique la cebolla, exprima el jugo de los limones.

Saque la sémola del refrigerador. Revuélvala con un tenedor. Agregue los cubitos de tomate, las aceitunas negras y las cebollas.

Añada el jugo de limón, el aceite de oliva, las pasitas rehidratadas y escurridas, y la menta. Salpimiente, coloque en el refrigerador durante una hora; sirva acompañado de hojas de menta.

Existen decenas de variedades con tamaños, formas, colores, sabores… diferentes. El pimiento verde es más fuerte, más amargo, más crujiente, menos caro y menos concentrado en betacaroteno que el rojo. El pimiento amarillo, más tierno y más dulce, sirve sobre todo como condimento. La presencia en grandes cantidades de vitaminas A y C, flavonoides, fibras y minerales hace del pimiento una de las verduras más sanas, además de que sacia rápidamente.

Un solo pimiento, cualquiera que sea su color, aporta más vitamina C que un vaso grande de jugo de naranja. El pimiento rojo contiene mucho más betacaroteno y vitamina C que el verde.

Propiedades medicinales

Combate infecciones, es tonificante, remineralizante, digestivo y ligeramente laxante.

Precaución

Las personas que tienen problemas para digerirlo necesitan pelarlo.

Por su alto contenido de vitamina C, que lo hace muy sensible al calor, se recomienda consumirlo crudo, en ensalada, por ejemplo.

LA CALABAZA

Verdura-fruta de la familia de las cucurbitáceas, a la que también pertenecen el pepino y el pepinillo, es pariente cercana de la calabaza de Castilla. Aunque durante mucho tiempo fueron los pilares de la alimentación humana, en particular en el campo, actualmente no están muy en boga. La calabaza de Castilla es una de las grandes verduras conocidas, ya que puede pesar varias decenas de kilos, pero sirve, sobre todo, para la alimentación del ganado. La calabaza, apenas un poco más pequeña, de sabor más fino pero relativamente insípido,

es sin duda una de nuestras "verduras para la salud" más subestimadas; contiene, sin embargo, mucho betacaroteno, vitamina C, un poco de vitamina E, fibras de buena calidad y minerales (cobre).

La calabacita italiana es una variedad de la calabaza, cuyo sabor recuerda al de la castaña.

Propiedades medicinales

Es refrescante, diurética y ligeramente laxante. Facilita la digestión, es remineralizante, retarda la absorción de los azúcares y reduce los niveles de colesterol.

EL TOMATE

Originario de México, fue llevado a Europa, al mismo tiempo que el chocolate, por los españoles, que conservaron su nombre azteca de *tomatl*. Desde su descenso de los barcos de los conquistadores colonizó toda la cuenca mediterránea, donde se implantó en el siglo XVI, pero como planta medicinal y ornamental, ya que sus frutos eran considerados venenosos (esto no es cierto, salvo cuando están verdes).

Se introdujo poco a poco en las salsas de la cocina mediterránea, pero fue hasta 1920 cuando se impuso y emprendió su irresistible ascenso.

Desde hace algunos años ha atraído la curiosidad de los investigadores, pues no hay duda de que disminuye los riesgos de cáncer de pulmón, estómago o próstata y reduce la frecuencia de los accidentes cardiovasculares.

Después de haber sido el pivote central de las dietas de adelgazamiento, el tomate se convirtió en uno de los elementos esenciales de la "alimentación para la salud", en particular gracias a su riqueza en betacaroteno, licopeno y vitamina C.

El tomate, junto con la papa, es actualmente la hortaliza más consumida en el mundo.

Ensalada de pimientos con comino

Ingredientes para 4 personas
- 1 pimiento rojo
- 1 pimiento verde
- 3 dientes de ajo
- 3 cucharadas de aceite de oliva extra virgen
- El jugo de un limón orgánico
- 1/2 cucharada de comino molido
- Sal y pimienta

Preparación

Ponga los dos pimientos en el fuego directo, voltéelos de vez en cuando hasta que se formen ampollas en la superficie.

Mientras tanto, pele y machaque el ajo.

Pele los pimientos, córtelos en rajas y colóquelas en una ensaladera. Agregue el ajo machacado.

Rocíe con aceite de oliva y jugo de limón, salpimiente, perfume con el comino y sirva.

Puede agregar algunas aceitunas negras y un poco de perejil rebanado.

Crema de calabaza con zanahorias

Ingredientes para 6 personas
- 1 calabaza
- 75 cl de leche descremada
- 2 zanahorias
- 1 cucharadita de azúcar mascabado
- 100 g de crema fresca con 8% de materias grasas
- Unas cuantas almendras fileteadas
- Sal y pimienta

Preparación

Corte la pulpa de la calabaza en dados grandes que pondrá a cocer en una gran cantidad de agua hirviendo con sal durante unos quince minutos.

Escurra los pedazos de calabaza, luego vuélvalos a poner en la cacerola, ya sin el agua de la cocción, junto con la leche descremada y el azúcar mascabada. Salpimiente y deje cocer alrededor de diez minutos.

Vierta todo en el vaso de la licuadora para obtener una preparación líquida.

Vuelva a vaciar en la cacerola; agregue las zanahorias lavadas, peladas y cortadas en bastones finos; deje cocer otros quince minutos, vierta la crema fresca, mueva, vierta en una sopera, espolvoree con las almendras fileteadas y sirva bien caliente.

Propiedades medicinales

Muchos estudios científicos parecen confirmar un vínculo indiscutible entre el consumo de tomate y la disminución de la frecuencia de algunos tipos de cáncer (estómago, pulmón, próstata) y sugieren una relación con la mengua de otros tipos de cáncer (páncreas, esófago, colorrectal); sin embargo, esto todavía no está comprobado.

Estudios recientes muestran una reducción significativa en el número de cáncer de *cavum* (o nasofaringe) entre los que consumen un tomate diario en relación con los que sólo comen tres por semana. Al parecer, el tomate en salsa, que permite solubilizar la vitamina A,

resulta mucho más protector que el tomate crudo.

El tomate también quita la sed, es refrescante, diurético y ligeramente laxante. Asimismo, es tonificante y remineralizante.

Por último, posee virtudes aperitivas y digestivas; se agrega a los platos tanto para perfumarlos como para facilitar su digestión.

Inconvenientes

Algunas personas son intolerantes a esta verdura-fruta que les ocasiona, cuando la consumen cruda con cáscara, problemas digestivos o reacciones alérgicas, en particular, cutáneas. Se aconseja pelarlos para consumirlos y apreciarlos entonces sin molestias.

Algunas recomendaciones importantes respecto de las verduras

Debe incluir verduras diariamente en su alimentación:

- En cada comida, coma en primer lugar una legumbre cruda y una ración de verduras, alternando a veces con una sopa, que merece ser redescubierta.
- Escójalas "de la estación y de la región", evitando la monotonía.
- Cómprelas poco a poco, sobre todo en mercados. Las verduras en bolsita de los supermercados no nos parecen muy confiables.
- Prepárelas al momento.
- Lávelas bien antes de utilizarlas. Puede recurrir al agua con vinagre para deshacerse de los insecticidas.
- Cepille enérgicamente los tubérculos (papa, betabel, zanahoria…), ya que concentran pesticidas.
- Retire las hojas exteriores de la col y de la lechuga.
- Coma crudas las que se consuman de esta manera, sobre todo si contienen vitamina C, agregando tan sólo un chorrito de aceite de oliva virgen.
- Recurra a la cocción al vapor (el mejor método) o al estofado (sin demasiada grasa), o si no, trate de comerlas crujientes.
- Póngalas a cocer en trozos grandes para no desperdiciar tantos nutrientes.
- Cúbralas bien para que no se oxiden con el aire.
- Sírvalas en cuanto estén cocidas (por lo que se acaba de señalar).
- Coma leguminosas una o dos veces por semana.
- Recurra tan seguido como sea posible a las verduras-condimento.

Sopa de tomate

Ingredientes para 6 personas
- 1 kg de tomates
- 4 echalotes
- 1 lata chica de concentrado de tomate
- 2 blancos de puerro
- 3 zanahorias
- 1 manojo de perejil
- 1 rama de tomillo
- 2 dientes de ajo
- 1 vaso grande de leche descremada

Preparación
Escalde los tomates durante dos minutos, pélelos, córtelos en dados. Pele y pique los echalotes, pele y machaque el ajo. Lave cuidadosamente los puerros, móndelos y rebánelos en rodajas. Lave y pele (o cepille) las zanahorias, rebánelas en rodajas. Ponga a cocer todo al vapor. Cuando las verduras estén cocidas, colóquelas en una cacerola grande, agregue el perejil cortado, la rama de tomillo, la leche descremada y el concentrado de tomate diluido en un poco de agua tibia. Salpimiente, ponga a cocer diez minutos más.
Retire la rama de tomillo, licue, vierta en una sopera y sirva bien caliente.

dos bebidas antioxidantes

EL TÉ NEGRO

ES MUY PROBABLE QUE HAYA SEGUIDO LA RUTA DE LA SEDA. AUNQUE SOLEMOS CONFUNDIR SU ORIGEN EN LA HISTORIA Y LO ATRIBUÍMOS A LOS CHINOS, EN REALIDAD FUE IMPORTADO DE LA INDIA POR MONJES BUDISTAS QUE LO INTEGRARON EN SU FILOSOFÍA.

BEBIDA SALUDABLE

Se cultivaba, en efecto, en esas lejanas regiones desde el siglo IV antes de nuestra era. Se convirtió en la bebida más popular desde el siglo VI d.C. y alcanzó su apogeo a partir del siglo X, pero los europeos lo descubrieron apenas en el siglo XVII y los británicos lo institucionalizaron apenas en el siglo XVIII.

El té proviene de un arbusto: la *camellia sinensis*; la infusión se hace a partir de las yemas o brotes jóvenes (*pekoe* = la pelusa blanca de las primeras hojas y no una variedad de té), que tradicionalmente se recolectan a mano (pero cada vez menos); las hojas siguientes son de menor calidad (*souchong*), pero constituyen la mayoría de las cosechas.

Se estima que existen tres variedades principales, originarias respectivamente de China, Indochina y la India, y que han dado un número incalculable de subvariedades. El té es la segunda bebida más consumida en el mundo, después del agua y mucho antes que el café; 9/10 lo consumen negro (que se obtiene después de una fase de fermentación que le proporciona un sabor más pronunciado) y el 1/10 restante lo consume verde (que se obtiene a partir de un breve calentamiento seguido de un secado rápido de las hojas y sin fermentación).

Se calcula que cada día se toman 1500 millones de tazas de té en el mundo.

COMPOSICIÓN

Tiene muy poco valor calórico, ya que una taza aporta tan sólo dos calorías. No contiene sal, azúcares, proteínas o grasas, pero tiene, por el contrario, sustancias alcaloides, la teobromina y la teofilina, que poseen una acción de dilatación sobre las arterias coronarias.

El contenido de cafeína del té o teína es parecido al de *arábica* (variedad de café), pero los taninos la precipitan en el estómago y limitan de esta manera su absorción: aporta, por último, menos de la mitad de teína o de cafeína que la misma cantidad de café.

El té, ya sea negro o verde, contiene flavonoides, antioxidantes muy potentes que le confieren una gran parte de sus propiedades: constituye, por ejemplo, la mitad de los aportes de flavonoides alimenticios en los Países Bajos y las tres cuartas partes en Gran Bretaña.

PROPIEDADES MEDICINALES

La presencia de flavonoides, con una acción antioxidante cinco veces más potente que la vitamina C o la vitamina E, y de taninos le confieren sus virtudes terapéuticas.

El té ligero

Un té "ligero", dejado en infusión poco tiempo, es más rico en cafeína que un té supuestamente fuerte, que se dejó en infusión más tiempo. Este último es sin duda más oscuro, más amargo, pero únicamente porque contiene muchos más taninos que hacen que la cafeína se precipite rápidamente. Si desea tomar un té por la noche, déjelo en infusión más tiempo para que no le altere el sueño.

- Su consumo regular disminuye en 60% el riesgo de enfermedades coronarias, mientras que no ejerce ninguna acción sobre el colesterol ni sobre los LDL (el colesterol malo).
- El té, en particular verde, inhibe el crecimiento de muchos tipos de tumores pulmonares y esofágicos: su consumo se asocia con una incidencia más débil de estos tipos de cáncer en el hombre. En los animales, previene el desarrollo de algunos cánceres cutáneos producidos por la exposición a los rayos ultravioleta (UV). La frecuencia de cánceres digestivos y urinarios disminuiría en 40 a 70% en las personas que beben más de dos tazas de té al día en relación con aquellas que no lo beben.
- Es tónico general y cerebral, estimulante suave, útil en caso de cansancio y convalecencia.
- Seguramente usted ya lo ha comprobado; es muy diurético.
- El té producido en la provincia china de Yunnan podría eliminar las grasas y disminuir los niveles de colesterol.

PRECAUCIÓN

Inhibe parcialmente la absorción del hierro contenido en las frutas y verduras, lo que se contrarresta añadiendo vitamina C o alimentos que la contengan.
Consumido muy caliente, por el contrario, podría favorecer el cáncer de esófago.

PREPARACIÓN

Constituye más o menos un ritual, según los lugares: tome una tetera y caliéntela enjuagándola con agua hirviendo, deseche en seguida esta agua; calcule una cucharada de té por persona más una dosis para la jarra. Vierta el agua a punto de hervir, pero no hirviendo, tape y deje que se haga la infusión durante cerca de un minuto y sirva.

Jalea de manzana con té verde

Ingredientes para 4 personas
- 1 kg de manzanas
- 600 g de azúcar morena
- 1 limón orgánico
- 25 g de té verde

Preparación

Pele las manzanas, córtelas en cuartos. Quíteles el tallo y las semillas. Cocínelas en un litro de agua a fuego lento hasta que estén deshaciéndose.
Recolecte el jugo de la cocción y fíltrelo. Reserve las manzanas cocidas para otro uso (compota…).
Exprima el limón, cuele el jugo a través de un tamiz fino. Ponga a hervir 20 cl de agua, vierta en ella el té verde y deje en infusión durante cinco minutos con el fuego apagado. Filtre.
Hierva durante cinco minutos el jugo de manzana, el azúcar morena y el jugo de limón en una cacerola grande o en una olla y espume. Agregue el té y vacíe en tarros.

EL VINO TINTO

SI BIEN LA PRESENCIA DEL TÉ ENTRE LAS BEBIDAS SALUDABLES NO ES UNA SORPRESA, EL CASO DEL VINO TINTO HA REPRESENTADO UN "TIRÓN DE OREJAS" DE LA COMUNIDAD CIENTÍFICA A LOS PREJUICIOSOS. ¿QUIÉN HUBIERA IMAGINADO QUE ALGÚN DÍA LOS MÉDICOS, EN PARTICULAR LOS CARDIÓLOGOS, LO PRESCRIBIRÍAN? AUNQUE SEA EN DOSIS PEQUEÑAS, ES LO QUE SUELEN HACER ACTUALMENTE.

BUENO PARA EL CORAZÓN

Desde la antigüedad, todas las civilizaciones han utilizado esta bebida, que se obtiene mediante la fermentación de la uva. Sirvió a lo largo de los siglos para embriagarse, por supuesto, así como para refrescarse, ya que hace tiempo era mucho menos alcoholizado que en la actualidad y solía servirse mezclado con agua.

El vino alcanza su verdadero auge hacia 1850 con el desarrollo del ferrocarril y la posibilidad de distribuirlo en todas partes. En la actualidad acompaña la comida en muchos hogares, pero se considera un sacrilegio agregarle agua.

Es inútil insistir en la difusión de los buenos vinos por todas las regiones del mundo. Resulta agradable comprobar que, siempre y cuando se consuman en dosis razonables, forman parte de la "alimentación para la salud".

> Los franceses beben durante las comidas principalmente vino; los estadounidenses beben en y fuera de las comidas, principalmente mucha cerveza; esto explica, al menos en parte, la "paradoja francesa".

COMPOSICIÓN

El vino tinto es una bebida ácida, pero muy rica en agua (su contenido es de alrededor de 90%).

Contiene cantidades variables de alcohol etílico: un vino con una graduación de 12° aporta 120 ml, lo que corresponde a 100 g de alcohol. Un litro de vino de 12° aporta, por consiguiente, 700 calorías.

Es rico en minerales (sobre todo potasio y hierro, así como magnesio y calcio); en cambio, es muy pobre en vitaminas.

Sin embargo, contiene muchos principios activos esenciales: taninos, polifenoles (entre ellos el picnogenol), ácidos orgánicos con poder bactericida y, sobre todo, flavonoides.

El resveratrol

Se trata de uno de los flavonoides del vino que se libera durante su fermentación. Posee una potente actividad antioxidante que aumenta el HDL, colesterol (bueno), inhibiendo su oxidación. Esta sustancia también tiene virtudes fungicidas, es decir, es eficaz contra los hongos que tienden a desarrollarse en el otoño en el vino.

El clima también interviene en su producción: los vinos de Borgoña de las regiones frescas y húmedas producen más resveratrol que los vinos de California. Tiende a disminuir con la edad de la botella, lo que hace que los vinos finos sean menos protectores en el ámbito cardiovascular.

Las virtudes de la cepa *cabernet-sauvignon* acaban de ser objeto de una publicación en la revista británica *Herat*, debido a su concentración excepcional de resveratrol. El jugo de uva, en cambio, no cuenta con las cantidades suficientes de este compuesto para que sea verdaderamente eficaz.

La piel de la uva contiene los flavonoides. Durante la fabricación del vino tinto, el alcohol los disuelve, lo que le da al vino su sabor… y sus propiedades saludables. El vino tinto en barricas de roble, más rico en taninos y fenoles, es mejor para el corazón que el que envejece en tinas de acero inoxidable. Para la fabricación del vino blanco se retira la piel y, por desgracia, con ella la mayor parte de los flavonoides protectores.

PROPIEDADES MEDICINALES

Protege el corazón y los vasos sanguíneos, disminuye el colesterol malo, le impide depositarse, fluidifica la sangre y limita la agregación plaquetaria, lo que reduce el riesgo de coágulos. También es antialérgico y antiinflamatorio. Se comporta como una hormona débil, lo que podría explicar su acción protectora contra algunos tipos de cáncer hormonales. Siempre y cuando se absorba en dosis muy bajas, sería la única bebida que protege contra el cáncer orofaríngeo. El vino que se toma en una comida permite y facilita la buena convivencia, la cual contribuye a nuestra salud física y moral.

PRECAUCIÓN

Es muy calórico; su acidez hace que sea desaconsejable para todos los que sufren de hiperacidez (ardor estomacal, gastritis, úlcera, etc.), sobre todo si se toma tierno; está contraindicado para los que sufren trastornos venosos (hemorroides, várices), ya que el alcohol agrava el fenómeno de dilatación de los vasos sanguíneos. Por último, el alcoholismo es una verdadera calamidad que bajo ningún pretexto se debe estimular.

DOBLE JUEGO

Un vino tinto diluido a la centésima parte todavía presenta una actividad antioxidante superior a la de la vitamina E.

Más allá de un vaso de vino al día, cantidad recomendada por los médicos, el aumento de su consumo no va acompañado sino de una débil disminución de la mortalidad coronaria.

Más allá de una cantidad que puede fijarse en cinco vasos diarios, la toxicidad cardiovascular del alcohol supera las ventajas que tiene a dosis bajas.

Las bebidas alcohólicas en dosis altas aumentan el riesgo de mortalidad precoz por cáncer, accidentes vasculares cerebrales, cirrosis, muerte violenta… pero protegen el corazón, reduciendo en 20 a 40% la mortalidad cardiovascular. El alcohol impide los coágulos, pero favorece las hemorragias, lo que se sabe ya gracias a los estudios efectuados en los esquimales.

Un estudio realizado por el equipo del profesor Serge Renaud sobre casi 36 000 habitantes del este de Francia acaba de confirmar los efectos benéficos sobre la salud de un consumo regular pero moderado de vino. Siempre y cuando no se sobrepase los tres vasos diarios para los hombres y un vaso y medio para las mujeres, se observa una disminución del orden de 30% de la mortalidad general, de alrededor de 40% para el riesgo cardiovascular y de 20% para el cáncer. Por el contrario, cantidades equivalentes de alcohol aportadas en forma de cerveza no tuvieron ninguna acción favorable.

Con más de tres vasos de vino al día aparece un sobrerriesgo de cáncer. Un eslogan utilizado para la prevención en carretera tenía hace poco esta receta, que conserva su actualidad más que nunca: "Un vaso está bien, tres vasos y dile hola a los daños."

UTILIZAR MEJOR BEBIDAS ANTIOXIDANTES

Si bien está fuera de cuestión obligar a alguien a beber vino, sobre todo si no le gusta, no podemos dejar de animar a los demás a que tomen un vasito de vino tinto cada dos comidas y degusten una taza de té sin azúcar, no hirviendo, dos veces al día.

la alimentación para la salud

CONSEJOS PRÁCTICOS PARA LA PUESTA EN PRÁCTICA DE LA "ALIMENTACIÓN PARA LA SALUD"

LA "ALIMENTACIÓN PARA LA SALUD" OBE-DECE A REGLAS SIMPLES Y PRECISAS PERO FLEXIBLES, IMPORTANTES DE CONOCER Y DE APLICAR, PUES SON VÁLIDAS A CUALQUIER EDAD Y PARA EL CONJUNTO DE ENFER-MEDADES QUE SE DESEA PREVENIR O QUE PUEDEN SURGIR.

La alimentación común y corriente, aunque sea variada, tiene dificultades para aportar en cantidades óptimas el conjunto de micro-nutrientes indispensables para la salud: sin embargo, le hace falta estar muy atento a su composición, sabiendo que ésta constituye una condición necesaria, pero absolutamente no suficiente para la forma, el bienestar, la salud y la longevidad.

Numerosas circunstancias (actividad deportiva regular, control de conocimientos o examen, problema infeccioso, estrés, cansancio excesi-vo, enfermedad, etc.) intervienen además para provocar un aumento en las necesidades… que deben corregirse en forma obligatoria: por consiguiente, la complementación con antioxidantes es, con mucha frecuencia, total-mente **indispensable** para su salud.

EL PUNTO DE PARTIDA: HUYA DE LOS MALOS HÁBITOS

La alimentación común y corriente en el mundo moderno no sigue un modelo equi-librado.

Consumimos en exceso:

- calorías,
- grasas saturadas (mantequilla, embutidos, quesos, pastelitos…),
- grasas modificadas (frituras, margarina, ma-yonesa…),

- ácido linoleico (aceite de girasol o de maíz…),
- azúcares rápidos (mermelada, miel, azú-car…),
- sustancias tóxicas originadas por el modo de cocción (temperatura demasiado alta, durante un tiempo demasiado largo, con un aceite mal elegido…) o por la utilización de un asador horizontal…
- insecticidas, nitratos, pesticidas… que han invadido la industria agroalimentaria.

No absorbemos suficiente cantidad de:

- frutas y verduras,
- minerales, oligoelementos, vitaminas…
- proteínas vegetales (leguminosas…),
- ácido alfalinolénico (aceites de colza, de nuez, de soya, así como verdolaga y nuez…),
- pescados grasos,
- fibras.

Debe entonces comenzar por disminuir o suprimir de su alimentación los productos nefastos consumidos en demasía, y privilegiar los alimentos benéficos para su salud pero que se aportan de manera insuficiente.

ELIJA BIEN LOS ALIMENTOS Y LAS FUENTES DE ANTIOXIDANTES

A propósito de las grasas
Debe disminuir las grasas saturadas:
- evite los embutidos grasos (chicharrones, paté, salchichas, salchichón…),

- evite las carnes grasas (chuletas de cordero, de cerdo, filete de res, piel de aves…),
- evite la mayonesa y aligere al máximo sus salsas,
- elija sólo leche descremada,
- evite los pastelitos con crema.

Debe disminuir las grasas modificadas:
- evite las mayonesas hidrogenadas (las que se utilizan con mayor frecuencia),
- evite al máximo las frituras,
- tenga cuidado con la "comida rápida", que debe consumirse como excepción.

Puede:
- utilizar un poco de mantequilla,
- preparar y consumir de vez en cuando una fritura hecha en casa, pero recurriendo a un aceite virgen y sin dejarlo humear.

Por el contrario, debe:
- sazonar con aceites de oliva o de colza (dos cucharadas al día de una mezcla que contenga un tercio del primero y dos tercios del segundo),
- comer pescados grasos (atún, arenque, boquerón, caballa, salmón, sardina) tres veces por semana.

Para un hombre de 70 kilos, dos cucharadas de aceite, 5 g de margarina, 5 g de mantequilla y 30 g de queso cubren los requerimientos cotidianos. Una cucharadita de aceite puede reemplazarse por dos cucharadas de crema fresca al 15% (para una salsa, por ejemplo).

A propósito de los azúcares
Debe disminuir los azúcares rápidos:
- evite el exceso de pan blanco,
- reduzca el azúcar que agrega al café, la compota, las fresas, el yogur…
- evite absolutamente los refrescos y otras bebidas azucaradas,

- escoja bien sus cereales de la mañana, ya que muchos son caramelizados, azucarados o contienen chocolate… lo que aumenta una parte de su importancia nutrimental,
- tenga cuidado con los helados con leche o crema, prefiera los sorbetes,
- mezcle la mermelada con miel.

Puede:
- disfrutar de una tablilla de chocolate oscuro de vez en cuando,
- comer una porción de tarta de frutas ocasionalmente.

Por el contrario, debe:
- preferir los azúcares lentos (cereales, leguminosas, pastas, arroz integral…),
- tomar un poco de pan integral de levadura todos los días,
- (re)descubrir las virtudes de la sémola.

A propósito de las proteínas
Debe disminuir las proteínas animales ricas en grasas saturadas:
- evite los embutidos grasos (paté, chicharrones, salchichas, salchichón…),
- evite las carnes grasas (chuletas de cordero, de cerdo, filete de res, piel de aves).

Debe darle preferencia a las proteínas animales pobres en grasas saturadas:
- coma de manera casi **obligatoria** pescado graso, tres veces por semana,
- consuma regularmente aves (pollo de granja),
- el aporte de carne debe ser de alrededor de 120 g al día para el adulto,
- elija carnes magras, (re)descubra en particular el conejo,
- pruebe los embutidos preparados a partir de aves o de pescado,
- algunos trozos de carne con fama de grasos son muy convenientes desde el punto de vista de la composición,
- coma un poco de queso, de preferencia de cabra o de oveja, una vez al día,

- puede reemplazar provechosamente la leche de vaca por leche de soya enriquecida con calcio,
- coma cuatro o cinco huevos por semana, de preferencia pasados por agua o estrellados.

Puede darle preferencia a las proteínas vegetales:

- descubra la leche o el germen de soya,
- coma una vez por semana leguminosas (chícharo, haba, frijol, lenteja…),
- consuma cereales (granola) en el desayuno,
- puede recurrir a las oleaginosas ocasionalmente,
- disfrute de una crepa de trigo sarraceno de vez en cuando.

Debe evitar:

- las partes carbonizadas de la carne o del pescado.

A propósito de los minerales y las vitaminas

Debe evitar las cocciones intensas de las verduras; prefiera el cocimiento al vapor.

Debe optar por las frutas y verduras frescas, de preferencia de la estación y de la región; a falta de ellas, no dude en preparar jugos, sopas, gazpachos, compotas poco cocidas…

Tiene que comer todos los días en forma obligatoria tres verduras y dos frutas diferentes.

No dude en comer más a menudo cereales, leguminosas y algunas frutas secas.

Casi por obligación tiene que beber todos los días:

- mucha agua mineral,
- un vaso de vino tinto,
- dos tazas de té negro (o verde).

A propósito de las fibras

Son absolutamente indispensables:

- evite las harinas blancas de los alimentos refinados (pan, bizcochos, pasteles…),
- debe, en cambio, privilegiar los cereales integrales, las leguminosas, las manzanas, los higos, las ciruelas pasas, la hojas verdes de ensalada…
- se recomienda mucho el pan de levadura.

Aporte de la cantidad óptima de fibras

- 150 g de cereales
- 150 g de hortalizas verdes cocidas
- 150 g de verduras crudas y ensalada verde
- 150 g de frutas
- 150 g de verduras secas
- 75 g de oleaginosas

A propósito de los fermentos lácteos (probióticos)

Vigile su aporte de levaduras vivas (*bifidus, lactobacillus acidophilus*…), ya que ellas participan activamente en la inmunidad:

- las encuentra en el yogur, la leche fermentada…,
- favorezca su acción con una alimentación rica en fibras,
- puede recurrir a la col agria de vez en cuando.

A propósito de la sal

Es necesario que su aporte sea mínimo:

- no sale sus platillos, sobre todo sin haberlos probado,
- evite los alimentos demasiado salados, las galletas de aperitivo, los cacahuates.

A propósito de las sustancias tóxicas

Estos factores intervienen a veces de manera preponderante, debe, por lo tanto, tenerlos en cuenta **obligatoriamente**.

- Elija productos de calidad, a veces "orgánicos".
- Ponga atención a los colorantes, conservadores y otros aditivos… pero son difíciles de evitar por completo.
- Tenga cuidado con los alimentos ahumados (trucha, salmón, tocino, jamón, pollo…) que producen radicales libres.
- No emplee utensilios de cocina de aluminio. De la misma manera, desconfíe del "papel de aluminio", sobre todo si el alimento que desea proteger es ácido. No compre tampoco bebi-

das en latas de aluminio, ¡además de que su contenido debe evitarse lo más posible!
- Prefiera las cocciones más sencillas (vapor, baño María, estofado, papillote, escalfado…).
- No coma nunca las partes quemadas o simplemente tostadas.
- Si recurre con frecuencia al asador, escójalo vertical, para que el aceite calentado se escurra y no se inflame al contacto con las brasas que cuecen los alimentos.
- Compre de preferencia aceites extraídos por primera presión en frío.
- Escoja su aceite de oliva "extra virgen", lo que garantiza su calidad.
- Puede utilizarlo también para freír, pero sin dejar que humee.
- No recurra más que por excepción a las salsas "listas para usarse".

READOPTE LAS REGLAS DE BUENA CONDUCTA ALIMENTICIA

Son sencillas, conocidas, pero nunca se respetan.

La necesidad de tres comidas

Tiene usted que hacer diariamente tres comidas equilibradas, es decir, que contengan cada una las tres categorías de alimentos (grasas, proteínas, azúcares).
Para equilibrar su alimentación de manera óptima, debe aportar:
- dos raciones de proteínas (a elegir entre huevo, pescado, carne) y lácteos (queso, yogur magro),
- tres raciones de azúcares lentos (a elegir entre cereales, féculas, leguminosas, pan),
- cuatro raciones de frutas y verduras,
- sin olvidarse de beber mucha agua y un vaso de vino.

El desayuno

Ésta es, hay que decirlo y repetirlo, la comida más importante del día, ya que el trabajo matutino en los países occidentales representa a menudo la parte más activa de la jornada:

- no salga con el estómago vacío o sólo con una taza de café,
- no dude en elegirlo variado, con proteínas y copioso.

Cada una de las dos comidas debe incluir:

- una entrada a base de verduras crudas, sazonadas con un chorrito de aceite de oliva,
- un plato fuerte compuesto de proteínas (queso, leguminosas, huevo, pescado o carne) o de féculas (pastas, papas…),
- hortalizas verdes o una ensalada,
- un pedazo de pan (de preferencia integral),
- una fruta,
- un vaso de vino.
- Si sufre de diarrea, tome las verduras crudas después del plato principal.
- Si sufre de colitis, prefiera las verduras cocidas.
- Absorba las proteínas de preferencia a mediodía, ya que pueden perturbar el sueño.
- Si está estresado, escoja mejor azúcares lentos en la cena, ya que favorecen el sueño.

Algunas precauciones adicionales

- No coma demasiado, demasiada grasa, demasiado rápido, con demasiado ruido ni tragando demasiado aire.
- No coma estando mal instalado, por ejemplo, de pie en la barra de una fonda.
- Mastique bien sus alimentos, deglútalos impregnándolos con suficiente saliva, primera etapa esencial de la digestión.
- No beba demasiado durante la comida, sobre todo refrescos, ya que tienen el doble inconveniente de inflar el estómago y de diluir el jugo gástrico absolutamente indispensable para la digestión.
- No regrese demasiado pronto al trabajo después de la comida, ya que esto bloquea y hace más lenta la digestión.
- Trate de caminar un poco para digerir bien.

Las cantidades

Una alimentación bien equilibrada contiene 15% de proteínas, 60% de azúcares y 25% de grasas. Varía en función de las necesidades propias, del tipo de actividad escogida, de las condiciones climáticas, etc. Los requerimientos calóricos diarios son en promedio de 2 000 a 2 500 calorías para un adulto que ejerce una actividad sedentaria.

Usted puede simplificar estas cifras teóricas, escogiendo 60% de frutas y verduras, 20% de proteínas y 20% de azúcares lentos.

Una comida promedio de alrededor de 500 g debe distribuirse de la manera siguiente:
- 300 g de frutas y verduras crudas o cocidas.
- 100 g de proteínas (queso, huevo, pescado, carne), o de leguminosas (haba, frijol, lenteja, chícharo…), o de oleaginosas (almendra, avellana, nuez…).
- 100 g de azúcares, de preferencia "lentos" (cereales).

Lo que también puede contabilizarse así:
- 100 g de verduras crudas,
- una ración de pescado, carne o un huevo, acompañados de 100 g de verduras cocidas,
- 100 g de frutas, que corresponden a una porción pequeña o a una fruta,
- 100 g de pan.

El profesor Creff, famoso nutriólogo de la década de 1980, tenía una fórmula que sigue siendo de actualidad: "hay que comer de todo un poco y poco de todo".

Deje de comer entre comidas

Comer entre comidas perturba la digestión y sobrecarga inútilmente el sistema digestivo, haciendo que el páncreas secrete de manera intempestiva.

Una colación SÍ, comer bocadillos todo el día NO.

Ideas de colaciones

- 1 manzana cocida en el horno.
- 100 g de queso blanco batido con miel perfumada.
- 1 pedazo de queso ligero con 15% de materias grasas y 1/2 rebanada de pan de cereales integrales.
- 1 bollo de queso y compota de peras con cáscara de naranja.
- 1 *mousse* de kiwi con limón.
- 1 *mousse* de cacao magro.
- 1 copa de frutas frescas de la estación (frambuesas, cerezas, fresas o naranja, kiwi, toronja, plátano).

EN CONCLUSIÓN

El organismo encuentra los elementos necesarios para preservar el equilibrio que define la salud por medio de una alimentación variada y equilibrada y con una complementación bien elegida y rica en antioxidantes.

La alimentación debe:

- primero, responder a los criterios de una "alimentación para la salud", como la que acabamos de definir,
- después, tener cuidado de suministrar frutas y verduras frescas, una buena distribución entre aceites monoinsaturados (oliva) y poliinsaturados (colza, pescado, soya, girasol...), alimentos ricos en vitaminas (A, C y E) y en minerales (selenio, zinc) antioxidantes.
- por último, no dude en aportar complementos para la salud y complementos de minerales y vitaminas.

CONCLUSIONES

AHORA SABE PERFECTAMENTE LO QUE LE CONVIENE HACER O NO EN MATERIA DE ALIMENTACIÓN Y DE SALUD, Y DISPONE DE UNAS CUANTAS RECETAS DESTINADAS A FACILITAR LA APLICACIÓN PRÁCTICA DE LAS ÚLTIMAS RECOMENDACIONES DICTADAS POR LOS CIENTÍFICOS.

Es evidente que existe consenso en cuanto a que una alimentación variada y equilibrada, como la que se da de manera óptima en la dieta cretense, fortalecida por un aporte atento y óptimo de antioxidantes, representa hoy en día la mejor de las prevenciones contra las enfermedades cardiovasculares y quizá contra el cáncer. En los últimos consejos que expondremos a continuación, hacemos una síntesis completa de la información proporcionada a lo largo de toda esta obra, la cual le permitirá hacer una lista de las diferentes etapas indispensables para una "ALIMENTACIÓN PARA LA SALUD", tal como la definimos.

RECOMENDACIONES

Le vamos a pedir que opte por una alimentación variada y equilibrada por medio de selecciones juiciosas. Así, usted debe:

• **Reducir** en general la cantidad de calorías absorbidas, elegir los alimentos *light*.

• **Disminuir** de manera drástica los aportes de ácidos grasos saturados: mantequilla y margarina, lácteos (leche entera, crema fresca ++) y carnes grasas. Sin embargo, puede comer queso, de preferencia de cabra o de oveja, una vez al día.

• **Consumir** una sola proteína por comida: carne, pescado, huevo, queso.

• **Darle preferencia** al pescado, en particular a los grasos.

• **Reducir** los azúcares rápidos, elegir azúcares lentos.

• **Consumir** regularmente cereales, de preferencia integrales.

• **Comer** todos los días dos frutas y tres verduras.

• **Elegir** alimentos ricos en vitaminas, minerales y fibras.

• En ocasiones **tomar un complemento**: una combinación óptima debería aportar alrededor de 20 mg de zinc, 100 mcg de selenio, 6 mg de betacaroteno, 60 mg de vitamina C, 15 mg de vitamina E, sin rebasar de una a dos veces los aportes diarios recomendados.

• **Redescubrir** las leguminosas.

• **Consumir** oleaginosas de vez en cuando.

• **Utilizar** los aceites de oliva y de colza, incluso para la cocción de carnes y pescados, pero sin dejarlos humear.

• **Recurrir** a complementos personalizados en función del "campo" de actividad, modo de vida, etcétera.

• **Restaurar** regularmente la flora digestiva con fermentos lácticos o probióticos.

• **Beber** mucha agua pura o mineral.

• **Moderar** el vino.

• No **abusar** del café, dar **preferencia** al té.

• **Evitar** tanto como sea posible las conservas y los aditivos.

• **Evitar** el cocimiento con fuego alto, en olla de presión o simplemente el cocimiento demasiado largo de las verduras.

DIEZ MANDAMIENTOS DE LA "ALIMENTACIÓN PARA LA SALUD"

1. Más cereales.
2. Más verduras.
3. Más frutas.
4. Más pescado.
5. Menos carnes y embutidos.
6. Nada de leche ni lácteos enteros.
7. Nada de mantequilla ni crema.
8. Aceite de oliva y de colza.
9. Un vaso de vino tinto en cada comida.
10. Té negro.

ÍNDICE DE RECETAS

CONTENIDO

EDICIÓN ORIGINAL
Dirección editorial: **Bernard Leduc**
Edición: **Françoise Colinet**
Fotografías: © **Akiko Ida**
Realización de recetas: **Ilona Chovancova**

VERSIÓN PARA AMÉRICA LATINA
Dirección editorial: **Amalia Estrada**
Traducción: **Ediciones Larousse con la colaboración del
Instituto Francés de América Latina (IFAL) y de Ofelia Arruti**
Cotejo: **Yolanda Lamothe y Karen Delgado**
Supervisión editorial: **Sara Giambruno**
Asistencia editorial: **Lourdes Corona**
Coordinación de portadas: **Mónica Godínez**
Asistencia administrativa: **Guadalupe Gil**
Fotografías de portada: © **AbleStock**

Título original: *Alimentation antioxydante mode d'emploi*
D.R. © MMIII Marabout, París
D.R. © MMVI Ediciones Larousse S.A. de C.V.
Londres núm. 247, México, 06600, D.F.
ISBN: 2-501-03881-9 (Marabout)
ISBN: 970-22-1403-3 (Ediciones Larousse S. A. de C. V.)

PRIMERA REIMPRESIÓN DE LA PRIMERA EDICIÓN — II / 06

Marabout es una marca registrada de Hachette Livre.

Impreso en México – Printed in Mexico